JN122872

宮崎の戦争と若者たち

太平洋戦争を語りつぐ4つの物語

河野　富士夫 著

みやざき文庫 140

はじめに

75年前のアジア太平洋戦争では、中国や東南アジア諸国で2000万を超える人々が、日本では軍人軍属の230万人、戦災者80万人、合計310万人が、それぞれ命を失っています。とてつもなく大きな犠牲でした。

宮崎県の被害を見ると死亡・行方不明者656人、負傷者1147人、住宅全焼全壊8092戸、半焼半壊801戸という数字です（「戦災復興誌」による。『100年』所収）。そのうち空襲等による死亡者は462名（議会報告）または708名（経本調査）です。これには、本書で扱っている無差別空襲の犠牲となった栗田彰子さんや機銃掃射に襲われた島野浦国民学校の生徒たちも入っています。これに軍人軍属の数が加わります。

空爆を体験した人々は異口同音に、「どんな理由があっても戦争だけはしてはいけない」と心の中で叫んでいます。若くして命を奪われた生徒たちからも、私たちのような犠牲者は二度と出さないでくださいという悲痛な叫びが聞こえてきます。このような状況のなかで、私（筆者）は若者や生徒たちの被害を後世に引き継がなければならないと考えました。

これまで幾多の人々がその被害を記録に留めてきました。三上謙一郎氏は足を棒にして遺族を訪ね歩き、宮崎の空襲実態を記録しました。また、同級生を爆撃で失った級友たちはその体験記を冊子に遺しました。しかし、今はそれを記録に留めた方々も既に他界しておられたり、存命中の方々も高齢化し、その記憶さえ失われようとしています。

もちろん、幾多の体験集が残っていますが、体験者それぞれ自分の立場から思い思いに書いたものなので、重複が多かったり、また全体の経過や構図が見えにくかったりします。それで、いまの若者たちが読んでみたくなるような書き方はないかと考えました。そこで考えたのが、そこに出てきた人物を「忘れ得ない形姿」に描き、そこでの出来事もただ説明としてバラバラに書くのではなく、大きな歴史的力のぶつかり合いとして描くことでした。そうすると一人の人間、主人公が生まれ、バラバラな出来事が「ひとつのストーリー」に収斂されてきます。

そう考えて、あらためて体験集を読み、碑文を読み、戦没者の同級生の話に耳を傾けました。その上で、全体が生きた人間のストーリーになるように再構成しました。体験集を再構成することによって、内容は変わりませんが、一つの「物語」となって私の眼前に浮かび上がり、体験された被害者はもとより、死者一人ひとりの声が聞こえてきました。

私は自分の手であの悲劇の時代を再現したいと思います。容易ではないだろうと思います。書くことはあくまでも事実に基づいていなければなりません。虚構であってはなりません。その前提の上で一つひとつの世界を創造するのです。機銃掃射や投下された爆弾で亡くなった人物は、今度は生きた人間として生まれ変わるのです。そう、これは彼らの物語なのです。

前書きはこのあたりにして、さあ、物語の中へ入りましょう。

目次

宮崎の戦争と若者たち　太平洋戦争を語りつぐ4つの物語

はじめに……1

第一章　愛に生きた日系二世

宮崎の戦争と若者たち

太平洋戦争を語りつぐ4つの物語

第一章

愛に生きた日系二世
延岡大空襲で殉職したカナダ人留学生
栗田彰子先生の物語

はじめに――栗田彰子先生之碑（延岡中学校）

延岡中学校（延岡市浜砂1丁目6番1号）の正門を入ると左側に庭があります。大きな池、大きな樹々、そしてたくさんの花々が咲いています。その一角に「栗田彰子先生之碑」と書かれた慰霊碑が建っています。飛び石のある小径、段々になった石、自然石の碑、周囲の花々、そこには栗田先生に寄せる愛情が感じられます。

裏面には次の碑文が刻まれています（カッコ内とルビ筆者）。

栗田彰子先生之碑（延岡中学校）

栗田先生ハ、大正八年（一九一九）十月十日、栗田松二氏ノ長女トシテ「カナダ」ノ「ヴァンクーヴァー市」ニ生レ、昭和十三年（一九三八）六月、同市ノ「ブルタニア・ハイスクール」ヲ卒業後、初メテ帰国サレ、県立延岡高等女学校・専攻科ヲ終テ、宮崎女子師範学校ニ学ビ、昭和十六年（一九四一）三月、卒業ト共ニ延岡市安賀多国民学校・訓導ヲ拝命。

爾来（ジライ）（以来）、四年三月、精魂ヲ傾ケテ教育ニ尽クサレ、

栗田彰子さん（ブリタニア高校卒業時。1938年6月・19歳）

児童ノ尊敬ト、父兄ノ信頼トヲ一身ニ収メラレタ。

昭和二十年（一九四五）六月二十九日未明、延岡市ガ焼夷弾攻撃ニ遇イ、一夜ニシテ全市ハ灰燼（灰と燃え殻）ト化シ、本校モ亦、二十数個ノ焼夷弾ヲ受ケ、将ニ炎上シヨウトシタ際、先生ハ同僚ト共ニ、全力ヲ尽クシテ消火ニ努メラレ、給水ニ従事中、不幸ニモ焼夷弾ノ直撃ヲ頭部ニ受ケテ殉職セラレタ。

『愛ハ一切ノモノヲ達成スル』トハ、先生ノ愛誦ノ句デアル。コノ句コソ、先生ノ生活信条デアリ、又、教育精神デモアッタ。茲ニ、先生ノ遺徳ヲ慕ウ者、相図リ、其ノ碑ヲ建テ、先生ノ功績ヲ永ク讃エヨウトスルノデアル。

題字　宇藤　光生（彰子さんが赴任時の当校校長）

碑文　塩月　儀市（彰子さんが殉職時の当校校長）

昭和二十六年（一九五一）八月建立　栗田彰子先生顕彰会

碑文には、カナダで誕生してから安賀多国民学校での奉職、また米軍機空爆による爆死、彰子さんの信条について簡潔に記されています。これから、彰子さんの「殉職」という悲劇はどのように起こり、彰子先生はどのような先生だったかについて見ていきましょう。

一、25歳の生涯

カナダから日本へ

いま見たように、延岡中学校校庭の一角に立つ「栗田彰子先生之碑」に彰子さんの略歴が示されていますが、亡くなった時彰子さんはまだ25歳の若さでした。彰子さんは1919（大正8）年10月10日、日系2世としてカナダのバンクーバーに生まれ、ハイスクールに通い、同時に日本語学校にも通いました。そしてハイスクールが終わった1938（昭和13）年、カナダで日本語学校の先生になるため、両親の祖国である日本に向かいました。

当時のカナダでは、日系移民の子どもがしっかりとした職業に就くことは大変でした。日系移民は選挙権も与えられず、社会的に何かと差別されていました。それでお母さんのハツは子どもたちにはいつも、「知識を身につけなさい。誰もあなたの頭の中を盗むことはできないのだから」と勉強するように言っていました。お母さんは、しっかりとした教育を身につけさせるのが移民の子には最も必要と考えたのでしょう。その上彰子さんは女性です。堅実な職を得るのは男性以上に難しかったのです。彰子さんは元もと看護師を希望していましたが、お母さんは教師の道を歩むよう強く望みました。生涯、職業婦人として自分の力で生きていけるようにと考えたのでしょう。お母さんは本当に賢明な女性でした。

彰子さんはなぜバンクーバーの教員養成学校に行かず、日本の師範学校で学ぶことになったのでしょうか。その頃、日系移民はバンクーバーの教員養成学校に入学することはできましたが、バンクーバーのあるブリティッシュ・コロンビア州で教師になる資格を日系移民に与えることは禁止されていました。それで彰子さんはその資格を得るために日本に来ることになったのです。

彰子さんは日本へはバンクーバー日本語学校の留学生としてやって来るのですが、その経緯について見てみましょう。『The New Canadian』(June29, 1973)は次のように書いています。

バンクーバー日本語學校は一九三〇年頃から學童数も激増し良い教師を得ることが困難となった。そこでカナダ市民養成の立前からも二世教師を養成する事とし、

一、中學科卒業生中、成績優秀なものを訓練して教師としていた。さらに、

二、中學科卒業生で成績優秀なものを留學生として日本に送り師範學校の教育を受けさせ、本科正教員として訓練をさせ教壇に立たせる方針だった。

栗田彰子もその一人で、一九三八年宮崎師範に留學、前記學校で実地研修のため奉職中、太平洋戦争の勃発のため帰国もかなわず一九四五年六月二十九日、米軍空襲にあい悲壮な殉死をとげたのである。

これを読むと、彰子さんがいかに優秀な人物であったかが分かります。バンクーバー日本語学校は中学科卒業生の中から成績優秀な者を留学生として日本に送ることにしており、彰子さんはそれに選ばれたのでした。太平洋戦争が起こっていなかったなら、彰子さんは日本での留学生活後、カナダに帰り、バンクーバー日本語学校の先生になっていたことでしょう。

さて彰子さんは1938（昭和13）年8月12日、18歳でバンクーバー港を出港し、14日間の船旅を終えて26日に横浜港に着きました。その時から80年以上経つので、彰子さんが乗船した氷川丸（ひかわまる）はもう存在していないだろうと思っていたのですが、驚いたことにまだ残っていました。横浜に着いた彰子さんはそれからどうしたか先を知りたいところですが、その前に氷川丸について見てみましょう。

彰子さんが乗船した氷川丸。横浜港で博物館船として一般公開されている。

氷川丸は1930年に、日本郵船が竣工させた大型貨客船（1万2000トン）で、北太平洋航路（神戸→横浜→バンクーバー→シアトル→横浜→大阪間）を運航しました。太平洋戦争中は海軍病院船として利用されました。戦後は復員輸送船として使われましたが、再び大型貨客船に戻り、1960（昭和35）年まで以前のシアトル航路で運航を続けました。現在は横浜市の山下公園前（横浜港）に係留され、博物館船として公開されています。２００３（平成15）年には横浜市の有形文化財の指定を受けました。

氷川丸は世界的には中級サイズの貨客船ということですが、写真で見るとなかなか大きなものです。柔道家の嘉納治五郎、映画俳優のチャップリンもこの船に乗りました。ただ嘉納治五郎は航海中に客死しました。氷川丸を初めて見た時、彰子さんは日本への船旅や母国での留学に、改めて若い胸を弾ませたことでしょう。船内には、今も長いテーブルが並んだ三等食堂があります。彰子さんもきっとここで食事をしたのでしょう。彰子さんがバンクーバー港で氷川丸に乗船した日はこれまで8月23日か12日か分かっていませんでしたが、氷川丸航海記録が残っており、それによると8月12日です。

氷川丸はまた多くのユダヤ人の救出にも関わりました。ユダヤ人がナチス・ドイツに迫害された時、リトアニアのオランダ領事館領事のヤン・ズヴァルテンディクが南米ベネズエラの沖合25キロメートルに浮かぶオランダ領キュラソー島行きのビザを発給しました。その後、リトアニアの日本領事館領事代理の杉原千畝が彼らに日本の通過ビザを発給しました（１９４０年7月）。ユダヤ人たちはソ連を通って日本に着き、そこから船でオランダ領キュラソー島に渡ったのですが、氷川丸もまたそのユダヤ人を運んだのでした。こうして1万５０００人におよぶユダヤ人が救われました。

なお、氷川丸を扱ったものとして伊藤玄二郎著『氷川丸ものがたり』等のほか、アニメーション映画『氷川丸ものがたり』もあります。

さて14日間の船旅の後、彰子さんは横浜港に着きました。従兄のまさおさんが「歓迎 彰子さん」と書いた垂れ幕をもって待っていました。祖母の妹のひさこおばさん、うえむらおじさんたちもカナダからどんな娘がくるのかと興味津々で待っていました。日本人以上に内気で優しく、慎み深いのに驚きました。彰子さんはそのまま何日間か東京の親戚宅に泊まりました。父の松二は東京出身なので、父方の親戚だったのでしょう。それから延岡へ向かいます。彰子さんは母方（ハツ）の祖父母である延岡市桜小路三三五―一の白石泰吉・キミ方に寄宿することになっていました。彰子さんはこの旅路について、カナダの家族のもとへ次のように書いています。

右から祖父母の白石泰吉・キミ、一人置いて彰子さん（昭和14年春撮。「夕刊デイリー」より）

汽車で二十三時間かかって下関に来ました。本州の最も南にある場所です。パンフレットによると、私たちは九十のトンネルを通ったそうです。七十八まで数えましたが、疲れてしまいました。顔はススだらけになりました。

下関で汽車を降りると、おばあちゃんが私を待っていました。よかった。彼女は素敵な人です。年を取ったお母さんみたいです。
門司までフェリーで行き、九州鉄道に乗って、延岡に行きました。
また手紙を書きます。みんなによろしく。

彰

（「生涯」）

現代なら飛行機でひとっ飛び、あるいは新幹線で快適な旅でしょうが、当時はそうでありません。東京から下関までは丸一日の長旅でした。当時の鉄道は汽車です。トンネルに入ると煙が入ってきます。その度に下から上に引っ張って窓を閉めねばなりません。彰子さんが書いているように顔は煤（すす）だらけになってしまいます。昔、筆者にもこの経験があり、みんな鼻の穴を黒くしていました。

延岡のおばあちゃんがはるばる下関まで迎えに来てくれていました。太平洋の果てからやって来た孫が果たして延岡までやって来れるか心配だったのでしょう。家で待っていたおじいちゃんも彰子さんが無事に着いて本当にホッとしたことでしょう。

県立延岡高等女学校時代

彰子さんは１９３８（昭和13）年９月より７カ月、宮崎県立延岡高等女学校専攻科に聴講生として編入しました。彰子さんの寄宿先の桜小路は大瀬川北岸にあり、同校は五ヶ瀬川の南岸にあって間には延岡城址のある城山公園があるので、そこを迂回気味に歩いていったのでしょうか。

さてその頃の授業風景を見てみましょう（左写真）。裁縫の時間のようですが、みんな何を縫っているのでしょう。正面のアイロン台の上には帽子が積み重ねられ、その上には帽子を被った人形が数体立ち、先生が帽子を手にしているところからみると、みんなは帽子を編んだり、縫ったりしているようです。左の窓側ではミシンを使っているようです。それにしてもミシンが数台とは寂しいかぎりです。たくさんの生徒の中で、後ろから二番目の女生徒が左腕に腕章を巻いています。級長さんでしょうか、何かの当番なのでしょう。

延岡高等女学校（右）と授業風景（上）（「延岡高等女学校百年史」より）

　教室の前面には「忠」「孝」なる文字が正面の広い場所を占めています。その下に何か書かれていますが判読できません。生徒たちは一日中その思想をたたき込まれたのでしょう。その二文字が大きすぎるため黒板は隅に押しやられています。その黒板の上方に人物の肖像画らしきものが見えます。最初は教室の左右に天皇・皇后の御真影でもあるのかなと思いましたが、御真影は奉安殿に収められているので、こんなところにあるはずがありません。それではどなたの肖像画かと関心が湧いてきますが、残念ながら分かりません。しかし位の高い人であることは間違いないでしょう。

このたった一枚の写真からだけでも当時のことを、特に当時の教育状況を垣間見ることができました。彰子さんもこのような環境で学んだのです。

延岡高等女学校には素晴らしい校歌がありました。北原白秋（作詞）と山田耕筰（作曲）によるもので、1940（昭和15）年3月の卒業式でお披露目されました。彰子さんは1938年9月に入学したので、その時はまだありませんでした。しかしこの校歌を聞くと、彰子さんはどんなにいい学校で学んだかがよく分かります。紹介しましょう。

延岡高等女学校校歌

一　藤波の春にあひて／開くもの花のみかは／少女子は姿とともに／心ばえやさしつつまし／匂へよ下り藤／紫の霞引きて／延岡高女延岡高女／紫の霞引きて

二　五箇瀬川ながれ清く／今に澄む月の光／曇りなき真かくぞ／白玉のま玉磨かむ／響けよ水の瀬に／まさやけき玉の白玉／延岡高女延岡高女／まさやけき玉の白玉

三　高千穂の雲に映えて／朝日影直射す国／我が日向宮居古く／海と山幸にあふれき／いざ起て新代の／かがやかし我等少女／延岡高女延岡高女／かがやかし我等少女

四　藤浪の春にあひて／開くもの花のみかは／うつくしき匂豊に／ものみなは光満ちなむ／匂へよここの空／ゆかりある藤の盛り／延岡高女延岡高女／ゆかりある藤の盛り

○藤波＝藤の花が波の動くように揺れるさま。藤の花。○真かくぞ＝本当にこのように。○白玉＝真珠のような白色の美しい玉、白玉。○ま玉＝玉の美称。○まさやけき＝実にさやけき、「マ」は接頭辞。○直射す＝日光が直接にさす。○我が日向宮居古く＝「宮居」は皇居を定めることとか、その場所、皇居を意味する。○新代＝この校歌が作られた昭和15年は皇紀二千六百年に当たるので国をあげてのお祝いとなり、宮崎では八紘一宇之塔が築かれた。新代でもって、ここに新しい時代が始まったことを意味するのであろう。○下り藤＝垂れ下がった藤の花のこと。

この時代、国民は皇国思想・軍国思想に縛り付けられていました。しかしこの校歌は高千穂、宮居、新代などの皇国思想関係のものを中心に据えるのではなく、中心にあるのは藤の花という美と命と平和を表すものです。そして1番の一節と二節にあるように、「藤波の春にあひて／開くもの花のみかは」と言って、藤の花でもって女学生の若々しい薫りを表し、そのことで皇国思想・軍国思想を背景に追いやっています。感動的な名歌です。さらに「下り藤／紫の霞引きて／延岡高女」では、「藤」と「霞」と「女生徒」を一体化するなど、白秋ならではの技です。また「真かくぞ」や「まさやけき」や「朝日影直射す」をネットで引くと必ず「延岡高等女学校校歌」が出てきます。白秋がそれほど使われていない言葉を、特にこの校歌のために使ったのでしょうか。

もちろん、高千穂、宮居、新代などのこの時代を反映するものとか、「心ばえやさし」「つつまし」など貝原益軒の良妻賢母主義も見え隠れしますが、止むをえない時代だったのでしょう。

山田耕筰の作曲もとても素敵なもので、聴く人の心を打ちます。YouTube（「延岡高等女学校校歌」）にありますので聴いてみて下さい。静寂の中から清らかな声が響いてきます。

既に述べたように、この校歌が作られたのは彰子さんの卒業後のことです。しかし、後に彰子さんが勤める安賀多国民学校（現延岡中学校校地）と延岡高等女学校（現岡富中学校）は、五ヶ瀬川を挟んでいてすぐ近くとは言えませんがそう遠いとも言えません。母校に素晴らしい校歌ができたということは耳にしたと思われます。筆者には、母校の窓から流れくる素晴らしいメロディーに耳を傾け、うっとりと聞き惚れる彰子さんの姿が目に浮かんできます。

ここに出てくる「下り藤」からは垂れ下がった藤の花だけでなく、二房の藤の花を左右に垂らして輪を描く紋所も想起されます。歌詞4番の「ゆかりある藤の盛り」という言葉から、特に延岡藩内藤家の家紋の下り藤を思い起こさせます。というのは、彰子さんが学んだ延岡高等女学校は旧延岡藩内藤家の藩校廣業館があった場所であることから分かるように、女学校は藩校を源流とするものだからです。

下り藤の家紋

宮崎県女子師範学校時代

彰子さんは延岡高等女学校に続いて1939（昭和14）年4月（19歳）より2年間、宮崎県女子師範学校で学びました。宮崎市にあるキャンパスの西側は男子師範で女子師範は東側にありました。当時の各道府県立師範学校・女子師範学校には次のような特徴がありました。(1)初等学校修了を入学資格とする中等学校レベルの小学校教員養成教育機関、(2)無月謝・給費制とその代償措置としての服務義務制（卒業後一定年限、管内の初等学校に奉職する義務）、(3)全員入寮の寄宿舎制（舎監の厳しい監督のもとで形式と規則が支配し没個性化・画一化を助長）。

この時代の師範学校を制度の面から見ると、本科一部と本科二部とに分かれていました。本科一部＝小学校尋常科（6年・6—12歳）卒＋小学校高等科（2年・13—14歳）卒＋師範本科一部（5年制・通常15—19歳）。本科二部＝小学校尋常科卒＋中学校・高等女学校（13—17歳）卒＋師範本科二部（2年制・18—19歳）。

宮崎県女子師範学校（「女子師範」より）

中学校生や高等女学校生も2年生を終了すると師範に入ることができました。なお、戦前の教育制度では、いわゆる飛び級が認められていたので、通常の課程を卒業・修了した場合の年齢を記載しています。こうした制度によって設けられた師範学校によって小学校の先生は養成されました。

栗田彰子さんは1939年4月（19歳）から1941年3月までの2年間、宮崎女子師範で学んでいますが、この「本科二部」で学んだのでしょう。彼女が1933年9月（13歳）から1938年6月（19歳）まで5年間（1937年卒の資料もある）ブリタニアハイスクールで学んだことに加えて、1938年に来日後、延岡高等女学校の専攻科で約7カ月学んだことから、「日本の高等女学校と同等以上の学力あり」と認定されて、入学を許可されたのでしょう。

この頃の女子師範の学生数は数十名だったようです。彰子さんが卒業した1941（昭和16）年の卒業生は、第一部が29人、第二部が36人、専攻科が3人の計68人でした。彰子さんは第二部36人の中のひとりだったのです。さて校歌を見てみましょう（歌詞のカッコ内とルビは筆者）。

宮崎女子師範学校校歌（作詞：藤村　作　作曲：橋本邦彦）

一

わが星は、清き里
朝日のただざす（直刺す＝直接照らす）里
すめみま（皇御孫・皇孫＝天照大神の孫、子孫）のあもり（天下り）ましし里
よき里の乙女われら

高千穂の高嶺（たかね）にたぐえ（類える・比える＝なぞらえる）
日の本のおみな（女、佳人）のほこり
もろともに高くかざさん

二

わが星は、清き里
夕日の日かげる里
すめぐに（皇国）の生まれいでし里
よき里の乙女われら
大淀の川瀬にたぐえ
日の本のおみなの操
もろともに清く守らん

師範学校という未来を担う子どもたちを養成する学校の校歌となると、やはり皇国史観でビシッと貫かれています。宮崎は「天孫降臨の地」とされ、その神話は実話とされています。そして「高千穂の高嶺にたぐえ」と、師範生たちは天孫降臨の高千穂の峰になぞらえられ、「日の本のおみなのほこり」と天にまで持ち上げられるのですから悪い気はしないでしょう。またそれで終わりません。師範生自身が、清流大淀川のように「日の本のおみなの操もろともに清く守らん」と操を固く守らなければならなかったのです。

師範学校は授業料の支払いは必要としないばかりでなく、全員が入寮しなければならない全寮制で、学資も給付されました。それで師範学校には、教師になりたいという強い信念を持ったものばかりでなく、才能がありながら家が貧しくて中学校や高等女学校などに進学できないという生徒も入ってきました。寮は舎監の厳格な監督下にあり、自由があまりなく、厳しい規則が支配しました。師範生が楽しく語らっているのを見ると（写真）「ああ、うるわしき青春」と思ってしまいがちですが、実際は「日の本のおみなの操清く守らん」と強い縛りを受けていたのです。現代の若者のように青春を謳歌することはできなかったでしょう。

キャンパスでの楽しい語らい（右端が彰子さん）

彰子さんは女子寮に入りました。寮の食事事情はどうだったでしょう。寮の主食は米つぶがくっついた大豆とか、大根の千切り飯とか、芋のこっぱ飯（芋の切れ端がたくさん入ったご飯。こっぱ＝木っ端とは木の削りくず、転じて、取るに足らぬものをいう）でした。味噌汁には具はあまり入っていません。お茶の葉は大根の乾燥葉でした。これでは足りません。それで休日には、今でもある「大盛うどん」へ食べに行ったり、家から炒り大豆、かんころ（サツマイモの切り干し）、あられ（米餅を小さな長方形に切り火で炙った菓子）が送られてくるのを待って、みんなで分け合って食べました。

寮生活はどうだったでしょう。参考に男子寮の生活を見ていきます。戦前の男子寮は軍隊のような上下関係が支配していました。寮の集団生活は規則ずくめで、次のような1日でした。午前6時＝起床ラッパ、洗面、朝食。午前7時＝登校、朝礼、東方遙拝、ラジオ体操、黙習。午前8時＝点呼。午後5時＝門限。清掃、夕食、黙習。午後7〜9時＝自由時間。9時＝消灯ラッパ。消灯前に週番長を伴った舎監による各部屋ごとの点呼。寮生は廊下に並んで点呼を受けます。

下級生は先輩の床上げ、洗面用の水の準備、清掃、朝食準備、配膳、みんな同じ量かと目を皿のようにして見ている上級生の前で、全員の飯つぎ、消灯前の点呼をしました。まごまごすると「気合いを入れる」と称して制裁を受けました。将来は教師になる学生同士であるにもかかわらず、上下関係はまるで軍隊のようでした。

厳しい校則があり、外出時の服装や持ち物も決まっていました。また、上級生に会った時は必ず「おはようございます」と「きつがしたろ」の挨拶をし、街中で先輩に遭っても、どんなに遠くにいても先輩には必ず挙手をしなければなりませんでした。それを忘れるとビンタを張られました。先輩も同室なので部屋の中でも気が抜けませんでした。体罰が横行したので、下級生はよく布団の中で涙を流しました。

師範男子部には寮訓の「五省」があり、寮生は毎朝これを読み上げました。

一、師道ニ悖ルナカリシカ
一、学業ニ怠ルナカリシカ
一、気力ニ欠クルナカリシカ
一、利己ニ趨ルナカリシカ
一、命令ニ反スルナカリシカ

生徒たちの日常生活はこの寮訓の五カ条によって厳しく律せられました。「五省」は、元は旧大日本帝国海軍の士官学校である海軍兵学校において用いられた五つの訓戒です。見てみましょう。

一、至誠に悖る勿かりしか（真心に反する点はなかったか）
一、言行に恥づる勿かりしか（言動に恥ずかしい点はなかったか）
一、氣力に缺くる勿かりしか（精神力は十分であったか）
一、努力に憾み勿かりしか（十分に努力したか）
一、不精に亘る勿かりしか（最後まで十分に取り組んだか）

この二つの「五省」を比べてみるとなかなか面白いです。海軍兵学校の「至誠」をここは師範だからと「師道」に、「言行」を「学業」に置き換えて、師範の悪坊主はやったぜ！　とニヤリとしたことでしょう。そして最後は兵学校にもない「命令」をもってきて完成！　しかしいたずらから始まったものが、時代の推移とともにいつしか自分たちをがんじがらめにするものになったのです。

この「五省」を読むごとにこれもまた面白いことを思い出します。ある大学の学長は入学式とか

宮崎師範女子部寮生の朝礼（「女子師範」より）

卒業式とか厳かな式典となると、必ずこの海軍兵学校の「五省」の重要性を力説するのです。〝これらの「至誠」「言行」「氣力」「努力」「不精ダメ」は本来は人間が守らなければならないモラルだ。それが戦争で悪用されたためにこの言葉は忌避されるようになって、若者の堕落を生み出している。今こそこの「五省」を復活させて皆さん立派な人間になって下さい〟これが学長からの訓示です。これを何回も聞かされているうちに、この学長も、「雀百まで踊り忘れず」の類だなと思いました。訓示するなら盲目的な「五省」だけでは駄目です。「五省」のどれを自分のモットーにしようとも、それには必ず知性と批判力を兼ね備えていなければなりません。ですからあの戦争も阻止できなかったのです。阻止できなかったどころか、海軍兵学校の卒業生は軍の幹部となって戦争を遂行したのです。

師範は元もと皇国史観に貫かれた教師を育成する場であったため、軍国主義的傾向があったと思われますが、この軍隊の内務班を思わせる男子寮のあり方は、特に、１９４２（昭和17）年1月の「師範学校制度改善要綱」が閣議決定されてからひどくなりました。彰子さんが学んでいた時代はまだそこまで進んでいませんでした。そうなるのは彰子さんが卒業してから後のことです。女子寮は男子寮とは異なるので、軍隊式あり方がもろに出ることはなかったと思われますが、しかしここに宮崎師範女子部寮生の朝礼の写真があります（前ページ）。みんな最敬礼していますが、これは宮城遥拝の場面でしょう。寮生活も皇国史観で貫かれていることを示す一場面です。

図面はお見せできませんが、昭和8年代のものと思われる女子寮の図面があります。西寮は2階建て一棟、東寮は2階建て二棟、相当大きな建物です。西寮と東寮をつなぐ共同の空間には調髪室、浴室、トイレ、洗面所、物干し場などがあります。女学生の寮らしく調髪室が2室もあります。寮の中に文具店まで入っています。それは次に出てくる「ハズバンド」の舞台となる場所です。思わず、ニヤリとしたくなります。図面には「週番室」もあります。寮生活は見回ってくる「週番」の監視下にあったようです。時代を感じさせます。この図面にはまだ食堂や炊事場がありませんが、昭和15年撮影の写真には寄宿舎の食事風景が写っています。花の寄宿生が食事にいそしんでいます。彰子さんが女子師範を卒業するのはこの写真の1年後のことですから、20歳の彰子さんもこの中にいるのかもしれません。

寄宿舎食事風景（「女子師範」より）

ああ、青春！（左が彰子さん）
（「夕刊デイリー」より）

　この寮で、彰子さんは青春を楽しんだのでしょう。軍国主義の時代とはいえ楽しいことは種々ありました。女子寮では、よく入ってきたばかりの新入生に「購買部へ行ってハズバンドを買ってきて」と言いました。日常使う「バンド」のことと思った新入生が購買部へ行って「ハズバンド下さい」と言うと、購買部の上級生はすました顔で「ただ今、ハズバンドは品切れでございます」と答えました。秋の神武大祭には1年に1度の夜間外出が許されました。そんな時、先輩は新入生に、「夜間外出なのだから、1年生はやかんを持ってくるのよ」と言いました。本当に薬缶（＝夜間）を持ってきた新入生がいて大笑いとなりました。それは最大の楽しみでした。ああ、青春！　人生、喜びなくしては生きていかれません！

　女子部では学期末にお部屋会がありました。菓子や果物を食べながらのおしゃべりがとても楽しみでした。また同郷の者が集まる「郡会」も楽しいものでした。また男子寮の南寮の18号室からは女子寮が展望できました。そこから内部が覗かれているのを知ると、女子学生はキャーキャー叫びました。

　彰子さんは1941（昭和16）年3月、宮崎県女子師範学校を卒業しますが、その後、師範学校は大きく変わります。同年4月1日、国民学校令が公布されて、これまでの尋常小学校は国民学校となり、小学校は「少国民」養成と軍事教育の場に変わります。それにともなって既に見たように、翌年1月「師範学校制度改善要綱」が閣議決定されて、師範学校は「大東亜共栄圏ニ於ケル指導者タルベキ皇国民練成ノ重責」を担う人物の養成の場となります。

さらに翌年4月1日、宮崎県師範学校は官立化されて宮崎師範学校となります。師範学校は官立化されることにより「皇国民練成」という国家の方針がストレートに入ってくるようになりました。宮崎師範は男子部と女子部を置き、附属国民学校はそれぞれ男子部附属国民学校と女子部附属国民学校となります。師範は本科3年（中等学校卒対象）と予科2年（高等小学校卒対象）の2種類となります。師範は元もと全寮制なので、生徒は学校においても寮においても一丸となって生活のすべてを皇国の道の「修錬」に邁進させられることになるのです。寮の様子もガラリと変わり、集団生活は規則ずくめが進んで、ますます軍隊のようになり、体罰が横行するようになりました。

安賀多国民学校の先生

さて彰子さんの話に戻りましょう。1941（昭和16）年3月、宮崎県女子師範学校を卒業した彰子さん（21歳）は延岡に戻り、安賀多国民学校の先生になりました。それまでの尋常小学校・高等小学校はこの年の4月1日から国民学校初等科・高等科に変わりました。国民学校は普通、初等科6学年、高等科2学年から成りますが、安賀多国民学校は3つの国民学校（恒富・延岡・岡富国民学校）

の高等科だけを統合した学校で、土地は新しく購入し、現在の延岡中学校の敷地に建てられました。周りはまだ田や畑でした。高等科だけから成る安賀多国民学校は、1学年は12クラス（男子6クラス、女子6クラス）で、2学年は24クラスの大きな学校でした。1クラスの生徒数は40人ほどから成り、彰子さんは女子クラスを1学年・2学年と交互に担任し、英語と音楽を教えました。

太平洋戦争も末期の1945（昭和20）年、日本中が米軍の空襲を受けました。延岡には日本窒素化学工業（現旭化成株式会社）や間野航空等の軍需工場があり、前者は太平洋戦争が始まると海軍の管理下に置かれ、軍用火薬も製造していました。そのため延岡への空襲は特に激しいものでした。

城山の天守台には、若山牧水の「なつかしき城山の鐘鳴りいでぬをさなかりし日聞きしごとくに」で有名な時刻を告げる鐘撞き堂があります。当時金属という金属は戦争の武器をつくるため供出を求められ、城山の鐘もその運命にありました。しかしこれだけは残してほしいという市民の強い願いにより供出は免れました。それで当時も、この鐘は市民に時刻を告げ、また「警戒・空襲警報」を知らせるものとして使われました。しかし鐘だけでは十分ではないので、城山公園の一番上に櫓が組まれ大型のサイレンが設置されました。

同年3月4日からはよく空襲があったので、市民は着のみ着のままで寝ていました。また連夜の空襲で何度も起こされ慢性疲労になっていました。学校の先生方は空襲から学校を守るという「学校防衛」を義務づけられ、警戒警報が鳴ると学校に駆けつけることになっていました。学校の近隣に住む生徒もそうでした。

焼夷弾に直撃され殉職

1945年6月28日午後8時頃、城山のサイレンが鳴り響き、警戒警報を告げました。彰子さんは素早く防空頭巾を肩にかけ、水筒、非常食、救急袋を腰に付けて安賀多国民学校へと駆けました。途中で一度、同じように学校へ急ぐ先生方と一緒に道路脇の防空壕に避難しました。学校に着くと、他の先生方も続々と集まってきました。彰子さんは出迎えの塩月儀一校長に、「ただ今、参りました。どうぞ、神さんと仏さんが守ってくださいますように」と言いました。

この日の真夜中、空襲警報(10秒間隔で10回連続のサイレン)が鳴りました。グアム基地を出撃した米軍のB29爆撃機105機が、サイレンが鳴るのとほとんど同時に午前1時57分、延岡を襲いました。最初に照明弾を落として街を真昼のように明るくし、続けて油脂焼夷弾(ゆししょういだん)を落としました。それは〝モロトフのパン籠(かご)〟とも呼ばれました。その名称は、フィンランド侵攻作戦の時ソ連が集束爆弾を落とし、ソ連外相ヴァチェスラフ・モロトフが「フィンランドの労働者支援のためパンを投下した」と豪語したことに由来します。また形状がパン籠を連想させます。アメリカは、木と紙でできた日本家屋は爆弾で破壊するよりも焼夷弾で燃やす方が効果があると使いました。

〝モロトフのパン籠〟は、飛行機から落下してくる途中で鉄帯が外れ、72個の弾筒に分かれて落下します。各弾筒は6角形で、直径約6チセン、長さ約50チセンあります。シュウー、シュウーと不気味な音を立てて落ちてきます。地面にぶつかると蓋が外れ、中から発火した油が飛び出し、あたりを燃え上がらせます。数限りなく落ちてきます。周囲は一瞬にして〝火の海〟と化し、真っ赤な火炎が上がり〝火の柱〟が走ります。火の竜巻です。川さえも燃えて炎が上がりました。B29爆撃機は3機、6機、12機と編隊を組んで東から西から、北から南から、繰り返し襲いかかります。筋という筋が燃え上がります。これが〝絨毯爆撃〟です。

延岡大空襲（渡木真之 絵）

学校では、校長先生たちは何はさておき「御真影」（天皇と皇后の肖像写真）と教育勅語を奉安殿から正門側にある防空壕に避難させました。空襲により「御真影」を燃やすようなことがあると、校長先生はただでは済まされなかったのです。「御真影」を守れなかったため腹を切った校長先生もいたほどです。人間の命よりも1枚の写真の方が大事といわれた時代でした。

彰子さんたちが守る安賀多国民学校は2階建ての木造校舎が3棟、それに講堂と数棟の付属建造物がありますが、午前1時頃の空爆で、2階建て校舎の第3棟（第3寮西教室）に大型焼夷弾が十数個落ち、2階の教室で火災が発生しました。先生方はみんな防火水槽の水を防火頭巾の上からかぶり、水を入れたバケツを持って階段を駆け上がり、バケツの水を火にぶっかけて何とか消しました。その後彰子さんたちは裏門にある防空壕に入りました。壕の中は連日の雨で水がたまり、板張りの床も濡れていました。外からは街が燃え上がるのが見え、激しい音が聞こえてきます。彰子さんは、「神も仏もないのかしら」と言いました。これが彰子さんの声を聞いた最後となりました。午前2時頃です。

二十数個の小型焼夷弾が第4棟(寮)に落ち、火の手が上がりました。消火、消火、の声が聞こえました。また焼夷弾が彰子さんたちの防空壕にも落ち、入り口が燃え上がりました。先生方は壕から飛び出しました。彰子さんは2番目か3番目に出て、防火水槽目がけて駆け出しました。その瞬間、小型焼夷弾の円筒が彰子さんの後頭部を直撃しました。彰子さんはばったり倒れました。最初はつまずいて転んだのだろうと思われましたが、先生方や兵隊さんたちが駆け寄ると、後頭部には大きな穴が開き、血がどくどく流れ出ていました。塩月校長の指示により、彰子さんは担架で校長室に運ばれました。しかし既に絶命していました。もし壕を出るのが0・5秒でも違っていたなら、彰子さんは死なずにすんだのです。本当に神も仏もいなかったのです。その間にも他の先生方は焼夷弾で燃え上がる教室の火の手を消すのに走りまわり、誰がどこで、どうなっているかも分かりませんでした。そんなことが何度も繰り返されて、ようやく空襲が終わりました。

みんなは学校を空襲から守ることができたのです。亡くなった彰子さんもその1人でした。彰子さんは「身を挺して責任を果たした」と讃えられました。しかし当時はそうだったでしょうが、今なら、身の危険が迫る場合は何よりも自分の身を守れといわれます。しかし戦時下にあっては建物の方が人間の命より大切だったのです。戦争は兵士に対してだけでなく銃後の人間に対しても容赦ありません。この基本を決めたのは防空法の改悪でした。それは空襲があっても疎開も避難も許さず、消火活動への従事を義務づけるという恐ろしいものでした。

焼け野原と化した延岡中心街（今山公園より）

この日、B29爆撃機は午前1時47分から同3時17分まで延岡の街を襲い続けました。焼夷弾の雨です。1万2447発（総重量約828・8トン）の油脂焼夷弾が落とされたといわれます。濡れた座布団で火を叩いて消せとか、バケツの水をぶっかけて消せと言われてきましたが、街が燃え上がり、もう逃げる以外に助かるすべはありませんでした。人々は五ヶ瀬川や大瀬川の川原に逃れました。空襲は1時間30分続きました。ようやく米軍機が去って夜が明けたとき、市の中心部は全くの焼け野原と化し、肉親を探す人びとの右往左往する姿があるだけでした。

この空襲で、即死者130人、行方不明3人、重傷者59人が出たといわれます。延岡は3月4日から8月14日の5カ月の間に十数回の空襲を受け、合計で313人の死者と

150人の重軽傷者（重傷者50人）が出たといわれますが、この6月29日の死者数は、実に全体の4割にもなるのです。いかに激しい空襲であったかが分かります。なお、彰子さんの学んだ高等女学校も、延岡中学校もともに校舎のほとんどを焼失しました。

学校葬

Ｂ29が去ると先生方は校舎に入り、亡くなった彰子さんについて善後策を相談しました。先生の1人が急を知らせに、彰子さんが寄宿している桜小路の白石家に走りました。工作担当の大里先生たちは板を集めて棺を作りました。女の先生方は彰子さんの遺骸を井戸の傍らに運び、血痕をぬぐい、身体を拭き清め、後頭部にできた穴には脱脂綿を詰め純白の包帯を巻きました。包帯からは血がにじみ出ました。彰子さんが架けていた、あの下をカットしたハイカラな縁なし眼鏡は砕けて破片が顔一面に突き刺さっていました。みんなはその破片を抜き取り、持ち合わせの化粧品で化粧をほどこしました。そして白石家から届いた花嫁衣装を着せて棺（ひつぎ）に納め、ダリア、グラジオラス、アジサイで飾りました。色の白い彰子さんはまるで花に埋もれて微笑んでいるようでした。夜が明けると、彰子先生が亡くなったことを知った生徒たちが花を持って学校へ駆けつけてきました。

戦火より学舎守りし師の君は　平和を残し黄泉路（よみじ）の旅へ（高橋英子）

あじさいの花焼きつけし吾が脳(なずき)　空襲の夜の閃光の中に（市原文子）

棺を桜小路の白石家に届けることになりました。しかし廃墟と化した市街地はまだ燃えていて通れません。そこで川舟を借りて棺を積み、男の先生方が大瀬川を遡っていきました。深いところでは櫓や棹を使い、浅いところでは降りて手で舟を押しました。家では、祖母のキミさんとその娘の甲斐豊子さんの2人が彰子さんを迎えました。祖父の泰吉さんと豊子さんの夫の甲斐カズエさんは既に亡くなっていて、住んでいるのは女3人だけでした。その夜、白石家でお通夜が営まれました。おばあちゃんのキミさんが彰子さんに〝打ち掛け〟を掛けてあげました。打ち掛けは艶のある黒地のもので、裾には模様がついていました（学校でも別個に彰子さんの葬式が行われたそうです）。棺は先生方の肩に担がれて運ばれ茶毘(だび)に付されました。大空襲のため死者が多く出たので、たくさんの木材を集めての集団茶毘となりました。彰子さんの遺骨は松の木の骨壺に納められ、キミおばあちゃんが家の神棚に安置しました。

彰子さんが殉職したということで、7月20日、谷口明三宮崎県知事から「賞詞」が届きました。「賞詞」は、学校防衛という行為は「戦意ノ昂揚戦力ノ増強ヲ図ル」ものだと力説し、彰子さんが身命を投げ打ったのは「忠誠愛国心ノ発露」だと持ち上げました。この言葉から、当時はどのような時代だったかがよく分かります。彰子さんはカナダ人だったのに、外国人にまで日本の天皇への「忠誠」や「愛国心」が強要されたのです。

1945（昭和20）年8月15日、戦争が終わりました。塩月校長は県庁に彰子さんの学校葬をしたいと申し出ました。占領軍の宮崎軍政部と宮崎県側は、それはアメリカ批判、占領軍批判になるからと認めませんでした。しかし塩月校長は、10月25日、おとがめ覚悟で学校葬を挙行しました。実に勇気ある先生でした。

［写真1］吉田敏先生の描いた彰子さんの肖像画（右）と［写真2］彰子さんの最後の写真（夕刊「デイリー」より）

吉田（西村）敏先生が彰子さんの遺影を描いて祭壇に飾りました（写真1）。このかすかな微笑を投げかけている彰子さんの顔は、とても生き生きとして印象的です。ところで、吉田先生の描いた彰子さんの肖像画は写真（写真2）を元に描いたように思われます。髪形、服装、胸のブローチが同じです。しかし写真よりも絵の彰子さんの方が生き生きとしています。写真は彰子さんが亡くなられた同年に安賀多国民学校で撮影されたものです。おそらく最後の写真になったのでしょう。この肖像画は今もなお校長室に掛けられていて、慰霊祭には祭壇に飾られます。慰霊祭ではまた、塩月儀一作詞、中須正三郎編曲の「栗田彰子先生を弔う歌」が合唱されます。

襟を正して厳かに　感謝捧げむ師の君に　命をまとに守(も)りませし　仰ぐわれらの学び舎に
ああ　栗田彰子先生

時水無月(みなづき)(今の六月)の二十九日　雨雲くらき午前二時　雨と降りしく焼夷弾　身をもて守りた
まいける　ああ　栗田彰子先生

幽明境(さかい)は異なれど　みたまは常にほほえみて　わが学び舎にましまさん　永久に安けくまし
まさん　ああ　栗田彰子先生

この歌詞は短いながら、当夜の焼夷弾から学校を守る様子を見事に再現しています。3連目の「みたまは常にほほえみて」はまさに吉田敏先生が描かれた彰子さんの肖像画です。現在校舎前に建つ彰子さんの慰霊碑は1951(昭和26)年8月に建立されたものですが、その前は、校舎南側、現在の裏門の近くに、倒れた彰子さんの血を吸った土や血の付いた包帯などを入れた彰子さんの塚がありました。

慰霊祭は毎年行われています。祭壇には、あの日、彰子さんの棺に入れられたダリア、グラジオラス、紫陽花が供えられます。塩月校長は毎年その花を押し花にして、バンクーバーの彰子さんの遺族に贈り続けました。

二、彰子さんの精神的バックボーン

日系2世のカナダ人の彰子さんが日本にきて、延岡の学校で学び、また先生として勤務したのは1938（昭和13）年9月から1945年6月までの約7年間でしたが、この時代、日本の軍国主義は頂点に達し、また戦争の真っ只中にありました。学校では、天皇とお国のために命を投げ打てという教育がなされ、軍事教練が行われました。命を大切になどとでも言おうものなら、「この軟弱者めが」とビンタを張られました。彰子さんはこうした時代に教育をしなければなりませんでした。カナダで生まれ教育を受けた先生はどんな気持ちだったでしょう。このようなことを考えながら、彰子さんについて書かれた本を読みました。

本章は主として、栗田彰子先生を偲ぶ会『愛は一切のものを達成する』と、永井ヨシ子（原作）・荒武千穂（翻訳）『栗田彰子の生涯　愛はすべてを解決する』を参考にしましたが、前著では、彰子さんの教え子、同僚の先生方、彰子さんと学舎で机を並べたカナダの級友たちが彰子さんの思い出をたくさん語っています。また、後著からは、家族やカナダの側から見た彰子さんの姿が浮かび上がってきます。それらを読むなかで、次第に彰子さんの人となりや支えた精神的バックボーンが見えてきたように思われます。以下、それについて書きたいと思います。

秀でた才能

彰子さんは秀でた才能の持ち主でした。英語も日本語も堪能でした。今で言うバイリンガルでしょうか。それは彰子さんについて人々が語った思い出の中からも垣間見ることができます。彰子さんたちはカナダのバンクーバーに住みましたが、家では日本語を話していたようです。彰子さんが英語を学ぶようになったのは、3歳でパウエル・ストリート・ユナイティッド教会の幼稚園部に入学してからです。その教会である時、牧師が「イエス様は子どもを愛する」と日本語で言いました。ところがその日本語が分からなかった人がいました。すると幼い彰子さんが英語にしてあげました。

彰子さん一家（前列右端が彰子さん）

彰子さんには下に5人の弟妹がいました。淑子（ヨシ子）（永井）、キャサリン・愛子（坂口）、リリー・文子（小田）、ロイ・昭一（栗田）、ピーター・修（栗田）です。お父さんは東京都出身の栗田松二さんで、バンクーバーで日系カナダ人のために日本語で発行された新聞「大陸日報」（TAIRIKU・NIPPOU）に勤めていました。お母さんは延岡市出身のハツ（初子・旧姓白石）さんです。ハツは白石泰吉とキミの間に生まれた5人兄弟の長女です。

彰子さんが15歳になった1935（昭和10）年秋、お母さんはピーターを連れて半年間日本の両親を訪ねて、家を留守にしました。その時、妹のキャサリン（愛子）は春のコンサート用に新しいドレスが急に必要になりました。でもお母さんはいません。さあ大変です。キャサリンは泣き出します。そこで彰子さんは考えました。ドレスの型紙があれば何とかなるかもしれないと。ようやく型紙を手に入れ、幾日かかかってドレスを縫い上げました。15歳にして初めてドレスを縫い上げるとはとても賢い女性です。彰子さんはよく母親代わりもこなしました。

彰子さんは幼稚園部から小学校、ハイスクールへと進みます。もちろんすべて英語での授業です。しかし、小学生だった1927年4月、7歳の時、アレキサンダー・ストリート日本語学校（後のバンクーバー日本語学校か）に入り、小学校の授業が終わったあと、午後4時～5時30分の1時間半、日本語を学びます。やがて日本語学校の中等部へ進み、1938年6月、ハイスクールを卒業します。彰子さんは学校生活の中で英語はたっぷり学びましたが、日本語の方は11年間学びましたが1日にたったの1時間30分です。家では日本語を話していたでしょうから、会話の点ではかなりのバイリンガルになっていたものの、漢字の多い日本語の読み書きはまだまだだったと思います。

既に見たように、彰子さんはその優秀さを認められて、同年、バンクーバー日本語学校の留学生に選ばれ、この年の9月からまず県立延岡女学校で7カ月以上授業を聞いて日本語を学び、続けて

19歳から21歳までの2年間宮崎県女子師範学校で学びます。師範学校の時、彰子さんが英語でスピーチし、それを同級生が日本語に翻訳することになりました。英語から日本語への翻訳はなかなか難しく、当の女生徒は四苦八苦していました。すると彰子さんが日本語への翻訳を手伝ってくれました。英語も日本語も堪能な彰子さんでなければできないことです。それで英語のスピーチも日本語訳もうまくいき拍手喝采を浴びました。

バンクーバー日本語学校で習得した日本語力だけでは、日本の女学校や師範で専門を学ぶのは容易ではなかったと思います。それを可能にしたのは彰子さんの努力と優れた語学の才能です。師範での専門授業は難しいものでした。そんな時彰子さんはノートにまず英語で書き、家に帰ってから日本語に直したそうです。女子師範学校の成績はほとんど甲（80点以上）という素晴らしい成績でした。彰子さんのこの才能について後年、末弟のピーター（修）は次のように述べています。

日本の学生の皆さんは、英語を中学一年から三年まで学びますね。これは、彰子が日本語を学んだ期間と一緒です。日本の学生さんたちはこのような状況で、カナダで教員養成大学に入学しようとしますか。数学、歴史や科学を教える方法を英語で学ぶことができるでしょうか。英語でこれらの科目を教えられたこともないのにそういうことができますか。先生の資格を取って、英語でちゃんと教えることができますか。これらのことを、私の姉彰子はやり通したのです。

（「生涯」）

ピーターが言おうとするのはこうだと思われます。日本の中学生が英語を学ぶのは3年間ですが、彰子さんが日本で日本語を学んだのも同じ3年間です。その短い3年間で、彰子さんが成し遂げたことをみなさんはできますか？　ピーターは彰子さんの類い希な語学の才能を実によく見抜いていました。しかしピーターには誤解があります。確かに日本の中学生は3年間英語を学びます。しかし1日1時間程度です。彰子さんのように、県立延岡女学校と宮崎県女子師範学校の3年間、日本語の洪水につかったのとは違います。そのような誤解はありますが、彰子さんはとても才能のある人でした。因みに、彰子さんは母方の祖父母の白石家に身を寄せていましたが、白石家は医者、教育者の家系です。彰子さんはきっとその血を受け継いだのでしょう。この才能があればこそ、「異国」の地で生き抜くことができたのです。もし彰子さんの日本語力が十分でなかったなら、日本に馴染めず、挫折したかもしれません。

愛を惜しみなく

彰子さんは教室において良い先生であっただけでなく、授業の外でもとても面倒見の良い先生でした。学校を休んで授業が分からなくなった生徒がいると、「いっしょに勉強しましょう」と言って放課後に見てあげました。またあの時代は何もかも物資が不足していたので、朝、生徒たちに桑の皮や草を学校に持ってこさせました。量が足りないと男の先生から怒鳴られました。しかし彰子さんは、叱るのではなく「よく頑張りましたね」と言って、生徒の頭を撫でてあげました。物資が何もかも欠乏していた時代です。生徒の中には普通の衣服を持っていない者もいました。すると彰子さんは自分のスカートをほどいて、生徒の服に仕立て直して生徒にあげました。また彰子さんにモンペを縫うのを手伝ってもらった生徒は今でも、そのモンペを〝彰子先生の形見〟として大切にしています。みんなが満足に食べられずいつも飢えている時代です。ある生徒が校庭に植えてあったさつまいもを食べたのが見つかって職員室で厳しく叱られました。生徒が泣いて出てくると、彰子さんはその生徒に寄り添い「お腹がすいたら、先生に話してくださいね。いっしょに食べ物をさがしましょう」と優しく言いました。

彰子さんは親切であるだけでなく、必要な場面では勇気を示す先生でした。ある生徒が軍事教練を嫌って、風邪だと偽り、理科の実験室にいました。そんなサボリが軍事教官に見つかったならただでは済みません。そんな時、事情を知った彰子さんが実験室に入ってきて励ましていきました。彰子さんには、そのような生徒に共感するところがあったのかもしれません。彰子さんにはどこか反骨精神のようなものがあったようです。

彰子さんの気持ちは生徒にも届いていたようです。今年の担任は彰子先生だと分かると、生徒たちは小躍りして喜びました。今でも、「なんと素晴らしい先生に教えていただいたのだろう。本当に恵まれていた」という述懐の声が聞こえてきます。

また、彰子さんの愛は生徒に向けられただけではありません。同僚の先生方に対しても同じでした。病気で休んだ先生がいるとそのクラスの授業も引き受け、学校の帰りに、その先生のお宅まで報告に行きました。調理の時に作っただんごをある生徒が靴箱に隠したことで、調理の先生は校長室に呼ばれ、〝監督不行き届き〟ときつい注意を受けました。調理の先生がうなだれて校長室を出てくると、そこに彰子さんが待っていて慰めてあげました。彰子さんは本能的に弱者の側に立つ人だったのです。

音楽から力をもらって

彰子さんの担当科目は英語と音楽です。四大節（四方拝・紀元節・天長節・明治節）、入学式、卒業式には紋付きに袴姿で国歌、祝歌、校歌などをピアノ伴奏しました。彰子さんの背筋をピシッと伸ばした姿勢はキマッていました。音楽の授業では「元寇（げんこう）」「勝利の日まで」などを歌いましたが、彰子さんは勇ましい歌よりは優しさのある歌の方が好きでした。学校の誕生会とか女子師範の学生寮での演芸会では時々、ナポリ民謡の「サンタルチア」を英語で歌いました。

SANTALUCIA

Upon this brilliant sea, a star of silver,（輝く海の上に銀の星があり）

Across the gentle waves, the wind is sweeping.（波は穏やかで、風は順風に吹く）……

サンタルチア（小松清訳）

空に白き　月の光　波を吹く　そよかぜよ

かなた島へ　友よ　行かん　サンタルチア　サンタルチア

彰子さんの清く澄んだ声が広間に響きわたりました。みんなは初めて聞く英語の歌に心を打たれ、身じろぎひとつしませんでした。また英語の時間には他のクラスに呼ばれ、テキストを英語で読んでくれるように頼まれました。そんな時、英語の歌を歌ったこともあります。トゥインクル　トゥインクル　リトゥル　スターと「キラキラ星」をみんなで歌いました。

Twinkle, twinkle, little star

Twinkle, twinkle, little star,（きらめく、きらめく、小さな星よ）

How I wonder what you are!（あなたは一体何者なの？）……

きらきら星

きらきらひかるおそらのほしよ

まばたきしてはみんなをみてる

きらきらひかるおそらのほしよ……

その美しい歌声に拍手が起こると、彰子さんは頬を染めました。彰子さんは特に日本の民謡「故郷」やメンデルスゾーンの「春の歌」が好きでした。

カナダで生まれ、カナダで自由に育った彰子さんには日本の軍国主義教育には馴染めないところも多く大変だったろうと思います。そのような時は、ピアノや祖国の歌に慰めを見いだしたのではないかと思います。

ここに彰子さんの直筆が残っています。ピアノが好きな同僚の佐々木公先生が出征することになりました。その日章旗に彰子さんはドミソの音階を描き、その下に「御元気でね　ピアノが無いのが残念ね　栗田」と書きました（写真）。軍隊にはピアノはありません。彰子さんは、ピアノは大きな慰めになることを知っているからこそ、軍隊にはピアノがないことを残念に思ったのです。彰子さんには「武運長久」の言葉よりも、ピアノのある・なしの方が大切だったのでしょう。彰子さんの心の中が見えてくるようです。なお、佐々木先生は戦場ではこの旗を懐に入れていました。銃弾が当たりますが、この旗と金属のかけらのおかげで助かり、無事生還しました。

彰子さんの直筆
（「夕刊デイリー」より）

英語で繋がる

このように、彰子さんは誕生会や、演芸会、また授業の中で「サンタルチア」や「キラキラ星」をみんなで歌いました。その時の彰子さんは喜びで頬が紅潮していました。英語もまた彰子さんと日本人を繋ぐ大切なものでした。

英語を話すということでみんなは彰子さんに魅了されました。その様子を、彰子さんはカナダの友人のアライ・ユキへの手紙でこう書いています。

ユキちゃん　忘れないうちに二月二十四日の手紙のお礼を言います。お昼に受け取った手紙をテーブルに置き忘れてしまいました。私の目が喜びで輝いているのを見せたいわ。そのあと、いつものように友だちが私の周りに集まって、あなたの手紙を大きな声で読んで、と頼むのよ。私が英語の手紙を読むことができるのは、マジックだと思っているのよ。

（「生涯」）

ユキさんからの手紙で、「目が喜びで輝いている」のは彰子さんだけではありません。別な理由から、クラスメートもそうなのです。彰子さんの口から英語が飛び出すのが、まるで魔法使いが魔術を使っているように思えるのです。

彰子さんは英語を通じても同僚の先生たちと結びついていました。佐藤克敏先生が、彰子さんに「人生五十年の楽しみは、枕頭返事の夢なり」を英訳してほしいと頼みました。すると彰子さんは、「よく意味が分かるように、今夜考えてみます」と返答しましたが、その翌日、米軍の空襲で亡くなってしまいました。佐藤先生にとって、それは彰子さんとの最後の会話になりました。佐藤先生はこのことを「思い出」として書いています。彰子さんは佐藤先生の希望を叶えてあげられないまま逝ってしまい、とても残念だったでしょう。しかしもう答えることができません。それで彰子さんに代わって筆者が英訳を試みました。しかしこの文はひょっとすると全体の一部分かもしれず、前後関係も分からないので、なかなか意味が特定できません。でも頑張ってみましょう。

「人生五十年の楽しみは、枕頭返事の夢なり」
The happiest thing in my 50 years whole life is to have dreams of my beloved responding to me at my bedside.

「五十年という短い人生の中で楽しかったことは、あの人が横に寝ていて、あるいは枕辺に座っていて、私が話しかけると応えてくれる夢を見たことだ」という意味なのでしょうか。あの人とは愛する人かもしれないし、亡くなった奥さんか、ご主人だったかもしれません。彰子さんは草葉の陰でこの英訳を喜んでくれているかもしれません。

１９４５（昭和20）年５月５日、アメリカ軍の飛行機が、旧北川町と延岡市の境界付近で撃ち落とされ、４人のアメリカ兵が捕虜になりました。

１９４５年５月５日午前、Ｂ29が長崎県大村基地を発進した日本の21機（宮崎で２機目撃）の攻撃を受けて空中戦になり、煙を吐きながら延岡市沖の海に墜落しました。その際機長のラルフ・Ｅ・ミラー中尉など６人が機体とともに墜落し、５人が東臼杵郡北川村（現延岡市北川町）と延岡市の境界付近の山林にパラシュート降下し、捕虜になりました。このうちクラーク・Ｂ・バセット・ジュニア伍長は重傷を負っていました。バセットはその夜憲兵隊へ連行され、直後に死亡し、延岡市山下町の善正寺墓地に埋葬されました。戦後、彼の両親が寺を訪ねて来て遺骨を引き取って行きました。

捕らわれた米兵（渡木真之 絵）

捕虜となったジャック・Ｍ・ベリー少尉、ジャック・Ｖ・デングラー軍曹、マーリン・Ｒ・カルヴィン兵卒、アーヴィング・Ａ・コルリス伍長の４人は、延岡警察署のグラウンドで目隠し姿で市民にさらされました。大勢の人が殴りかかろうとするのを年配のものが止めました。

（「ＰＯＷ研究会」）

捕虜になった米兵は当然、日本の警察の取り調べを受けました。彰子さんはこの時通訳を頼まれました。しかし通訳だけでは終わりませんでした。戦後、アメリカは撃ち落とされた米軍機の乗組員はどうなったかを調べに延岡へ調査団を送ってきました。しかし書類はすべて焼却されていたようで様子が分かりません。その時、彰子さんの日記が貴重な証言になりました。彰子さんは5月6日付の日記に米兵の名前を書いていたのです。アメリカの調査団がこの日記を読みました。延岡の「夕刊デイリー」の高見弘人氏がスピーチでその顛末を語ったようです。それについて妹の永井ヨシ子さんがこう書いています。

調査団は一九四五年五月六日の日記にパイロットの名前を見つけました。ついに、すべてのパイロットたちは、戦争で受けた傷により亡くなったことがわかったのです。アメリカのチームは最初、彼らは無残にも殺された、と思っていたのです。警察署長、市長、公務員は無罪になりました。彰子が死をもって表現したものは、すべての人からたたえられることでしょう。

このとおりです。「POW研究会」には、捕虜となった4人は「都農憲兵分隊を経て西部軍司令部に送致。6月20日に福岡高等女学校校庭で処刑、または九州大学医学部の生体解剖事件で殺害されたものと思われる」とありますが、九州大学医学部の生体解剖で死亡した8人の中に、この4人の名前はありません。また「すべてのパイロットたちは、戦争で受けた傷により亡くなったことがわかった」ということから処刑されたのでもなかったのでしょう。

このように英語もまた、彰子さんを日本人と深く結びつける力になっていました。

自分をしっかりと持つ

彰子さんは元もと何事にも真摯に立ち向かう女性でした。師範時代の日記にこう書いています。「道徳の授業があった。話題は、幸せは一生懸命働くことを通して得られる、ということ。もう一つの話題は、忍耐。両方とも私を勇気づけてくれた」。道徳というと、この時代、教育の中心は「我カ臣民　克ク忠ニ　克ク孝ニ　億兆心ヲ一ニシテ……」の教育勅語でした。しかし彰子さんは、そういうことよりもむしろ人間の生き方にこそ関心があり、その姿勢は教師になってからも変わらなかったと思われます。

彰子さんは生徒に、「写真にうつるのは気分のいい時にして、いやな時は控えなさいね」と言いました。当時、写真を撮るということは大変なことでした。デジカメで撮ってはすぐ消す今と違って、写真はすべて残り、生涯の記念となるのです。それなのにげんなりした様子では困ります。彰子さんのこのひと言は生徒にはとても役に立ちました。

また、彰子さんの配慮はすみずみまで行き渡っていました。彰子さんは、「真っすぐに生きなさい。決して卑屈な人間にならないように。心の美しい、すくすくとのびやかな人になるように」と生徒に話していました。この短い言葉「決して卑屈な人間にならないように」には胸打たれます。特に上に立つ者が上にあるというだけで威張っていたあの時代、下の者が卑屈な人間にならないようにするのは大変だったと思われます。この彰子さんの言葉を覚えていた生徒は、きっとこの言葉を座右の銘として生きてきたのでしょう。

あるとき、彰子さんは親しくしている新任の先生が厳しい口調で生徒を叱るのを見ました。その時彰子さんはその先生に、「墨汁を半紙に落としたら決して消えないように、自分の言葉も同じで、責任を持たなければならないのよ。とりかえしがつかないからね」と伝えました。自分の口から出る言葉が、まだきちんとした考えができていない生徒へ与える重さについてまではなかなか考えの及ぶものではありません。彰子さんの言葉は私たちの心に染み入ります。

彰子さんはこのように人生を真正面から見つめる人でした。信念をしっかりと持ち、自分というものを見失わないように努めたからこそ、あの困難な時代に耐え抜くことができたのだと思います。言葉を半紙に落とした墨汁に喩（たと）えるとはなかなかユニークです。

ユーモアの力

彰子さんはユーモアの心を持った女性でした。時代は暗くなり、女性はモンペ姿に変わっておしゃれは許されなくなりました。スリップもカーテン地などで縫っていました。しかし彰子さんは胸と裾に大きなバラの花を刺繍した絹のスリップを着て、それをチラッと見せてはウィンクし、両手を広げて首をすくめる外国人特有のジェスチャーをしました。これはみんなの注目を引きました。暗い時代を生き抜くにはこの明るさが必要でした。

校庭の南東隅に高射砲陣地が造られたので、アメリカの機銃掃射を受けるようになりました。子どもたちのいる学校の校庭に高射砲陣地を築くとは、まさに軍事最優先で、国民の命は後回しにされていたことが分かります。そのため授業は学校ではなく、仮小屋や倉庫などで分散授業を行うことになりました。そうなると、クラスは地域ごとに分かれることになります。生徒たちは別々になるのを嫌がりました。すると彰子さんは一計を案じました。クラスの中に田中さん、森さん、三輪さんという子がいるので、彰子さんは3人の名前の入った「朧(おぼろ)月夜」をみんなで歌いました。

一　菜の花畑に　入日薄れ
見わ（三輪さん）たす山の端　霞ふかし
春風そよ吹く　空を見れば
夕月かかりて　匂い淡し

二　里わの火影も　森（森さん）の色も

田中（田中さん）の小径を　たどる人も
蛙の鳴くねも　鐘の音も
さながら霞める　朧月夜

みんなはきっと「見わたす」で三輪さんを、「森の色」で森さんを、「田中の小径」で田中さんを見て、笑いながら手拍子を取って歌ったことでしょう。クラスは再び元気を取り戻して地域別の「教室」に分かれていきました。ここでも、彰子さんのとっさの機転は生徒たちに笑いをもたらしたので、別れの悲しみは軽くなりました。

彰子さんは日本語の格言にも通じていました。涙を流す人には、石の上にも三年よ、辛抱しなくっちゃと言って元気づけ、憎たらしい役付きの先生については、憎まれっ子世にはばかるといいますからと言って同僚の先生方を笑わせます。「外国人」にとって、日本の格言は特に難しいものでしょうに、その場にぴったりの格言を口にする回転の良さには舌を巻きます。

彰子さんの最高のユーモアは、熊本民謡の「おてもやん」をみんなの前で踊ったことです。同僚の先生方が彰子さんの住む白石家を訪ねました。しばらくすると彰子さんはみんなの前から姿を消しました。不意に蓄音機が鳴り、「おてもやん」姿の彰子さんが出てきました。赤い着物に赤い腰巻き、頭には手ぬぐい

おてもやん

をあねさんかぶり、両の頰に丸い紅……、そして音楽に合わせて踊りました。

おてもやん　あんたこの頃嫁入りしたではないかいな
嫁入りしたこつぁしたばってん
ご亭どんが　ぐじゃっぺだるけん
まあだ杯はせんだった
（「ぐじゃっぺ」とは痘瘡の痕のこと）

気品のある彰子さんの突然の変身にみんなはとてもびっくりし、戦争の暗い雰囲気をしばし忘れて楽しみました。
戦争は長く続きます。いつも緊張していては身も心ももちません。彰子さんのユーモアは人に生きる力を与えてくれます。彰子さん自身も自分のユーモアから生きる力を得ていたのでしょう。

自由な空気とキリスト教

このようにみんなを愛し、みんなに愛された彰子さんの精神はどこから来たのでしょう。それは彰子さんが育ったカナダの自由な空気とキリスト教によって培われたもののように思われます。

彰子さんが留学していた時代、日本人は家では着物を着ていましたが、学校では先生方は洋装で、女生徒はセーラー服でした。彰子さんも同じだったようですが、彼女には、最初からほかの人とは違って見えるところがありました。それは何よりも身なりや容姿です。彰子さんは下をカットした縁なし眼鏡をかけていましたが、そういう眼鏡は当時の日本にはなく、彰子さんの元もと理知的な顔を一層際立たせました。そして白のブラウス、紺のタイトスカート、肩にかけたバッグ、黒色の革靴、白の折り返しのついたソックス、小柄ながらすらりとした肢体……。すべて上品でモダンでカナダ的で、当時の日本にはありませんでした。言葉は上品で、その上英語を話します。何よりも、歩く時に小首をかしげてにっこり微笑む姿は人々を魅了しました。

その魅力とはカナダで生まれ、19歳までカナダで教育を受けた者が発する自由な空気です。このカナダの雰囲気は、彰子さんがモンペをはくようになっても消えることはありませんでした。その上、当時の学校の先生は高等女学校出が多い中で、彰子さんは師範出です。それで彰子さんはいっそう魅力的に見えました。

戦争が始まってもカナダの自由な空気は彰子さんを包んでいました。限られた世界であれ、桜小路の彰子さんの部屋にはカナダの思い出がありました。彰子さんはみんなに好かれ、彼女の生徒や同僚の先生方がしばしば桜小路の白石家を訪ねて来ました。カナダの衣服、帽子、バッグ、英語の書籍、教科書、彰子さんがハイスクールで書き写したきれいな英文のノート……。みんなには初めて見るものです。それらには異国の香りがしました。

彰子さんはハイスクールの写真も見せてくれました。コンクリートでできた近代的な建物、白いドレスに花冠を被った卒業写真、週5日制で男女共学、自転車通学。日本とは違う「個人」を尊重する教育を受けてきたからこそ彰子さんには毅然(きぜん)としたところがあり、みんなを引きつけるのでした。みんなはカナダのハイスクールに憧れました。またカナダでは各家に自動車があり、買い物には自動車で出かけます。週末はスポーツや趣味で過ごします。まるで夢のような世界です。これが彰子さんの世界です。彰子さんがご馳走してくれたのは、日本にはないカナダのキャンデーやケーキでした。

このようなカナダで培われた教養や文化は、日本がその時代軍国主義一色だからといって、そう容易に消えるものではありません。

社会的に何かと差別される日系移民にとって、キリスト教の博愛精神は心のよりどころとなり、彰子さんもよく教会を訪れました。彰子さんを支えた最大のものはこのキリスト教の博愛の精神です。彰子さんは3歳の1922年にパウエル・ストリート・ユナイティッド教会（プロテスタント系）の幼稚園部に入り、神の教えに接します。12歳の1931年には、CGIT（教会の少女育成団体）に入り、社会奉仕活動に励みながらクリスチャンとしての資質を磨きます。そこで彰子さんはひとつの賛美歌に出合います。

イエス様は、闇夜を照らす小さなろうそくのように澄み切った光で私たちを輝かせる。この世界

は真っ暗です。だから明るくしましょう。あなたはあなたの小さなひと隅を。（スーザン・ワーナー）

彰子さんはこの世で初めて「闇夜を照らす光」つまり神様に出会ったのではないでしょうか。信仰の始まりだったかもしれません。しかし、信仰は神との出会いで終わりというわけではありません。神様はみんなに「自分の小さなひと隅」を照らすように言われます。この言葉の実践はこれからですが、幼くとも賢い彰子さんはこの言葉にきっと強く胸を打たれたことでしょう。

16歳の1936年の夏は少女育成団体の最後の年になりますが、彰子さんはホワイトロックの指導者養成キャンプに参加しました。指導力を培いながら人の世話をして、「愛」の心を育むのです。この時、生涯の信条となった「愛は一切のものを達成する」を体得します。これにはアライ・ユキも参加していました。そして彰子さんは翌年、日本にやって来ました。

彰子さんはみんなに「愛」の精神で接しました。それでかつての教え子は、今なお「本当に優しく包容力のある先生だった。先生に習った『隣人を愛しなさい』という言葉は私の人生で大きな意味を持つものとなった」と語り、元同僚の先生は「彰子さんはみんなに分け隔てなく接した人格者」と偲びます。

しかし日本では、天皇は神であるという考えが大手を振っていました。キリスト教の信者である彰子さんにとっては辛い時代だったでしょう。学校では、徹底的な軍国主義教育がなされ、皇国史観に基づく歌を教え、戦争の歌を歌い、竹槍を持たせて人を殺す訓練をさせねばなりませんでした。

生徒の劇の記念写真。後列左端・彰子さん。(「愛」より)

お国のために命を捧げよと言われる時代のなか、彰子さんは自分の生活信条の「愛は一切のものを達成する」について語ることは許されないことに、ひそかに苦しんだことでしょう。

ここに一枚の写真があります。海軍の帽子を被った生徒、額に鉢巻きを締めた生徒、飛行帽を被った生徒……。生徒による創作劇発表を記念しての写真と思われますが、さて彼らは何の劇を演じたのでしょう。

左手の壁に「ハワイ海戦」の文字が見えます。生徒たちはあの真珠湾攻撃を演じたようです。生徒たちはみんな「米英撃滅」に燃えたことでしょう。この当時の創作劇はみな戦争を鼓舞するものだったのです。

最後列の左側に彰子先生の姿も見えます。きっとこの劇を指導する立場にあったのでしょう。「戦争について心配していることを話せる人」が欲しいという彰子さんにとって、生徒に戦争劇を演じさせることなどは耐え難いことだったでしょう。しかし彰子さんはよく耐え、祖国のカナダと神の教えを忘れたことはなかったと思います。

望郷の念

彰子さんは18歳の1938（昭和13）年9月日本へやってきましたが、この国の生活はカナダとはまったく違いました。カナダでは机と椅子、室内履きの生活でしたが、日本は畳です。まずそこで正座できるようにならなければなりません。痺れに悩まされました。また挨拶も畳の上で両手をつき、頭を深く下げます。日本にはベッドルームがなく、夜は畳に布団を敷いて寝ます。また日本の家は暑さを避けるように造られていますが、冬の寒さに対してはまったく無防備です。学校へ行く時も、冬なのにコートを羽織ることは許されません。ここにあるものは、彰子さんが慣れ親しんだものとはまったく違っているのです。周囲の山々さえも違います。彰子さんはこう書いています。

[写真1]ライオン山（上）と[写真2]愛宕山（下）

ライオン山やグラウス山（らいちょう山）に代わってここ（延岡）では、愛宕山が私を見下ろしています。……ここにあるものは、私が慣れ親しんだものとはまったく違っています。……しかし、共通したものもあります。それは、空、月、それに星です。

（夕刊デイリー「愛は一切のものを達成する」一九九六年八月七日付）

延岡にあるのは、ライオンの両耳のようにも、2頭のライオンが向かい合っているようにも見えるライオン山（前ページ写真1）ではなく愛宕山（あたごやま）（同写真2）だということも、慣れ親しんだものとはまったく違うものの一つだったでしょう。しかし空、月、星が共通のものとして慰めになったように、愛宕山も同じ山として孤独な彰子さんを慰めたかもしれません。ちょうど日豊線の汽車の音を聞くとバンクーバーの列車を思い出し、望郷の念を募らせながらも慰めを見いだしたように。

それでも望郷の念は募ります。「『きよしこの夜』を一人で歌った。みんな礼儀正しく優しいが、母国の家族や友達のことを忘れられず、懐かしく胸が痛くなる」とユキさんへの手紙に書いています。外国で暮らしていると一番の楽しみは、故郷の家族からの手紙です。彰子さんは家族によく手紙を書くのですが、家族からは途絶えがちでした。弟妹の中で唯一手紙をくれたすぐ下のヨシ子からも何カ月も届かなくなり、また定期的に送ってくれていたカナダの日本語新聞「ニューカナディアン」も途絶えがちになります。

彰子さんは「私はここでひとり。他の五人は両親と一緒にカナダにいるのに。私は、家からも友達からも見放されて、たったひとり」とユキさんに書いています。また「私は、七通手紙を書いても、一通しか受け取らない」と日記に書いています。よほどさみしかったのでしょう。彰子さんはカナダからの手紙を大切にしました。何度も何度も読み返しました。故郷からの手紙は、家族や友達と彰子さんをつなぐ唯一のものだったからです。しかしカナダで生活している者には、家族と離れて異境で暮らすということがどんなに大変なことか理解できなかったでしょう。異国に暮らしたことのない者には、文化の違いがいかに大きな問題となるかはなかなか理解し難いのです。

彰子さんにはたくさんの日本人の級友がいます。みんな礼儀正しく優しいです。しかし「私はみんなとはバックグラウンドが異なります。私は、戦争について心配していることを話せる人、喜びを分かち合う人、ホームシックが本当にどんなことかを知っている人、英語で話せる人がいたらと願っています」(「生涯」)。彰子さんは戦争について心配していますが、このことについては好戦的な日本で育った級友と話し合うことはできなかったことでしょう。

また言葉が違うので、ホームシックを理解してもらえたり、喜びを共有できるほどに理解しあえる日本人の友達はできなかったかもしれません。英語を話すカナダ人の友達でなければ理解できなかったのです。それで彰子さんはカナダの友達に多くの手紙を書きました。その時の手紙の多くはもう残っていません。しかしアライ・ユキへの手紙はそのまま残っています。ユキさんは、何度も引っ越しますが、彰子さんからの手紙は大切に保存していたのです。彰子さんが1940(昭和15)年11月7日に書いたのが最後のものとなりました。それ以降は戦争のため手紙は送れなくなり、また向こうからも届けられなくなったのかもしれません。ユキさんと彰子さんはパウエル・ストリート・ユナイティッド協会の少女育成団体に参加して以来の友人です。

カナダと日本の間――彰子さんの苦悩

彰子さんは1941（昭和16）年3月宮崎女子師範学校を卒業しますが、カナダへは帰らず、同年4月から安賀多国民学校の先生になりました。この年には日米関係は険悪になっていました。その前年の1940年、彰子さんにはこんなことがありました。

一九四〇年十月の初めに彰子は、バンクーバー日本語学校のサトウ校長から手紙を受け取りました。サトウ校長は、ブリティッシュ・コロンビア州からの依頼を受け、カナダの内容をもっと盛り込んだ翻訳の教材の新しいセットを探すために、夏の間だけ日本にいましたが、太平洋戦争が始まる前の最後の船となった氷川丸（ひかわまる）で家に戻ろうとしていました。

一九四〇年十月二十日、彰子は休みを取って、サトウ校長、ウチダ・イレーヌ、イグチ・マスコに逢うため、横浜に行きました。しかし、港に到着したときにはすでに船はゆっくり岸壁を離れ、彰子を下に見ながら、みんなが手を振っていました。

彰子は、みんなに見えるように、死に物狂いで手を振りました。

「遅かった。みんなと話すチャンスはもうないわ」（『生涯』）

彰子はつぶやき、涙がこぼれ落ちました。

サトウ校長たちは太平洋戦争が始まる前の最後の船となった氷川丸でカナダへ帰ろうとしていたとありますが、氷川丸の最後の横浜港出港は『氷川丸ものがたり』の航海記録によると、ここで書かれた１９４０（昭和15）年10月20日ではなく翌年の１９４１年８月９日でした。それは別として、既に１９４０年には日米関係がいかに悪化していたかがリアルに伝わってきます。

サトウ校長を見送りに横浜港に来た時、なぜ彰子さんは一緒に帰らなかったのか、そうすれば命を失わないで済んだのにと幾多の人々がそう考えました。彰子さんは横浜の波止場で偶然にバンクーバーの学友であるウエノ・ハツミと出会いました。互いに、今何をしているのか尋ね合い、彰子さんは、「私は、教育課程を終えて、必修の教育実習の経験をしてから家に戻るわ」と答えたとあります。彰子さんが語った意味は、師範で教育資格を取るためには教育について学ぶ座学のほかに教育実習もしなければならないということです。彰子さんがウエノ・ハツミと出会った年、彰子さんはまだ師範の２年生ですので、教育実習がこれから始まるという時だったかもしれません。

「彰子さんはなぜ一緒に帰らなかったのか」ということについて、幾多の資料が、彰子さんが学んだ時代、教員の資格を取るためには師範学校での勉学の後、さらに学校現場で２年間教職義務を果たす（『お礼奉公』）必要があったからだと書いています。しかし筆者が調べた限りでは、師範学校はそのような制度ではなく、師範の学生は師範学校の卒業と同時に教師の資格も与えられました。師範学校では、教師の資格を得るためには教科を学ぶだけでなく教育実習も必修だということが誤解されて伝えられたのだと思われます。また、彰子さんが卒業後も日本に留まったのは、彰子さん自身が日本で現場教育を体験し、かつまた日本語を十分に習得したいと望んだからと思われます。あるいはバンクーバー日本語学校がそう望んでいたのかもしれません。実際はどうだったのか、はっきりしたことは分かりません。さらに、サトウ校長が帰国したのは1940年10月20日でしたが、彰子さんはまだ師範の学生でした。彰子さんについて調べた人は、この年、彰子さんはもう安賀多国民学校の先生をしていたと誤解していたようです。

カナダの母親は戦争が始まる前に、彰子さんが帰国できなくなるのを恐れ、すぐに帰るようにとの書き留め郵便を送りました。しかし配達できないとして返送されてきました。「彰子は日本にとり残されてしまった、いったい何が起こるだろうか」と母は案じました。そしてついに1941（昭和16）年12月8日（ハワイ時間は7日）、日本のパールハーバー攻撃で太平洋戦争が始まりました。帰国の道は閉ざされました。「彰子先生の顔が、幽霊のように白くなりました。彰子先生は、これからどうなるのかわかっていました。私たちは、どうやって先生をなぐさめていいのか、わかりませんでした」と後年、彰子さんの生徒だった一人が語っています（『愛』）。彰子さんの悲痛な思いが時空を超えて伝わってきます。

戦争が始まると、カナダとの文通は最初のうちは赤十字のおかげで何とか可能でしたが、手紙の

日系カナダ人の収容

1941年12月7日、日本軍の真珠湾攻撃がなされました。するとすぐに日系カナダ人と在加日本人の財産は没収されました。さらに1942年初頭に、バンクーバー島の軍施設が日本海軍の艦艇に攻撃されました。すると日系カナダ人と在加日本人はブリティッシュ・コロンビア州の内陸部にあるタシュミ強制収容所（スローカン強制収容所ともある）に送られ、その後ロッキー山脈以東にあるベイ・ファームスとレモン・クリークにある強制収容所へ移動させられたり、帰国を命じられたりしました。収容された総数は2万881人、そのうち75%がカナダ国籍を所持していました。

往復に6カ月以上もかかるようになり、その後、完全にストップしてしまいます。バンクーバーのあるブリティッシュ・コロンビア州では1942（昭和17）年に日系人は「敵国人」と決まり、彰子さんの家族も、内陸部の日本人強制収容所（スローカン）へ送られました。そのため手紙のやり取りはできなくなってしまったのです。

　どれほどカナダに帰りたかったことでしょう。彰子さんは黒板に父母の名前を書いて眼鏡を涙で曇らすこともありました。しかしいつか再び戻れる日が来ることを信じ、教師として雄々しく生きようと決意しました（「日記」）。ところが終戦まであとわずか47日というところで、焼夷弾の直撃を受け亡くなってしまいます。さぞ無念なことだったでしょう。

　彰子さんを苦しめたもうひとつは、二つの祖国が互いに敵・味方に分かれて戦争をしていることです。彰子さんは顔かたちこそ日本人ですが、カナダ国籍です。カナダで生まれて育ち、カナダで教育を受け、カナダに家族がいます。カナダは彼女の祖国です。他方日本は両親の故国であり、自分がそこで高等教育を受け、そこで教職に就き、今住んでいる国です。彰子さんにとっては両国とも祖国です。その二つの祖国が戦争をしているのです。今、日本に住んでいる彰子さんは自分の生まれた国のカナダを敵と呼ばなければなりません。

二つの祖国の間で、彰子さんの心は引き裂かれてしまいます。しかしそんな悩みを決して外に見せてはいけません。外国人であるというだけでスパイと疑われた時代です。彰子さんも監視下にあったようです。カナダの家族や友達から送られてくる手紙は検閲されたようで、所々切り取られて判読困難なところもありました。また外国人というだけでほかより詳しい調査を受けました。英語は彰子さんを支えた一つで、それでみんなを感激させましたが、今は敵性語となり、英語の授業もなくなってしまいました。彰子さんは心の支えを奪われてしまったのです。アメリカの飛行機が撃ち落とされて4人のアメリカ兵が捕虜になった時、既に見たように彰子さんは通訳を頼まれましたが、そのため近所の人からはスパイ呼ばわりされました。

1945（昭和20）年8月15日、戦争は終わりました。日本とカナダの敵対関係も終わり、自由に行き来できるのもそう遠いことではなくなりました。しかし、彰子さんには遅すぎました。

彰子さんは、このような苦しみしか持たずに短い生涯を終えなければならなかったとすると、あまりにもかわいそうです。彰子さんには心を許しあえるハンサムな青年教師がいたという話もあります。それが本当ならどんなに良かったことでしょう。しかしその先生は終戦後病気で亡くなったといいます。

三、時代をつないで

訃報、カナダに届く

彰子さんが亡くなったのは1945（昭和15）年6月29日で、間もなく終戦となりました。延岡の祖母のキミはその死をカナダへ知らせなければと思っても、なす術（すべ）がありませんでした。カナダで、三女のキャサリン（愛子）と四女のリリー（文子）は彰子が白い服を着て、カナダの友だちに囲まれて自分の所にやって来る夢を見ました。その時、「姉ちゃん」と呼ぶと消えましたが、後から考えると、ちょうど彰子さんが日本で亡くなった時間でした。

彰子さんの訃報は翌年2月にカナダのスローカンの日本人収容所に届きました。それまでの経緯について次女のヨシ子（淑子）は次のように書いています。

祖母は、家族へ早く知らせなければとその一心でいました。しかし船便にしても何カ月かかるか、確実に届くのかすらわかりませんでした。なんとか安全に、確実に届く方法を取りたかったのです。

そのため、祖母は延岡警察署の助けを借りました。そこから地方アメリカ占領部を通して、手紙を送ったのです。

祖母はアメリカ軍の将校に片言の英語で、「どうか、手紙、カナダ、彰子の死」と言って、深々と頭を下げました。祖母は彰子を通して英語の単語をいくつか学んでいたのです。

それを聞いた将校は、「わかりました」と英語で言いました。

「ありがとう。ありがとう」

祖母は日本語で言いました。

アメリカの将校は、郵便配達優先権のある彼の封筒に預かった手紙を入れました。祖母の封筒には、強制収容所の住所が書いてありました。（……）祖母の手紙は、将校の両親の手によって新しい封筒に入れられ、アメリカからスローカンの住所へ届けられました。（「生涯」）

祖母のキミは彰子さんの死をカナダの家族のもとに知らせなければならないと思っても、戦争中はとても困難なことでした。戦争が終わっても、混乱が続いており、日本とカナダの通信はなかなか回復しません。しかしすぐにも知らせなければなりません。そこで思いついたのが占領軍に助けを求めることでした。とても賢明なおばあちゃんです。アメリカ軍の将校に「どうか、手紙、カナダ、彰子の死」と片言の英語で頼んだのです。アメリカの将校もとても親切でした。軍の郵便網を使って、その手紙を将校のアメリカの両親のもとに送り、その両親がカナダの日本人収容所へ送ってくれました。こうして祖母の愛はかなえられたのです。

祖母の手紙を最初に受け取ったのは郵便局で働く三女のキャサリン（愛子）です。「彰子の死」を知ってキャサリンは気を失いました。キャサリンは他の人に助けられて、ようやく収容所に帰り着きました。

母は家にいました。昼食用のお茶の準備をしていて、やかんに水を入れるため、外にある共用の水道の蛇口から水を引いているところでした。その姿を見ると、キャサリンはもう誰に構うことなく叫び声をあげました。

「ねえちゃんが死んだ」

キャサリンは手紙を母に渡すと、走って家の中に入りました。ショックを受けていました。後を追って家に入ってきた母は、日本語で「なになに」と言いました。母は聞いたことが信じられなかったのです。（……）母は、手紙を読みました。そして、真っ青になりました。冷たい汗が体中を流れました。

やがて父や弟妹が帰ってきました。ベイファーム（※ここの収容所の名前）に残された家族、父、母、キャサリン、ロイ（昭二）、ピーター（修）は涙が枯れるまで泣きました。（「生涯」）

お母さんのハツが最初、彰子さんの訃報を信じられなかったのには理由があります。少し前に彰子さん本人から「元気です、皆に会いたい」と書かれた赤十字カードを貰っていたからです。彰子さんは殉職した6月の初旬に、25文字と制限されていましたが、カードをお母さん宛に出していて、それが8カ月後に届いていたのです。ですから当然お母さんは、彰子さんは日本で元気に生きているとばかり思っていました。

1946年（昭和21）2月28日、日本人収容所のあるスローカンのコミュニティーホールで彰子さんの追悼慰霊祭が行われました。

1951年8月、延岡中学校（旧安賀多国民学校）に慰霊碑「栗田彰子先生之碑」が建立され、10月15日に慰霊祭が執り行われました。この時彰子さんの母の栗田ハツさんとすぐ下の妹の永井ヨシ子さんがカナダから来られました。遺骨は分骨され、半分は祖母キミさんの元に残り、残りの半分はお母さんと妹さんの胸に抱かれて懐かしいカナダに帰って行きました。それは彰子さんが日本にやって来てから13年後のことでした。しかし憧れた日本人学校の先生となっての帰国ではなく、遺骨となっての悲しい帰国でした。彰子さんは今、ウィローデールヨーク墓地に両親と一緒に眠っています。

引き継がれる遺志

次に掲げた「彰子さんの追悼行事など」で見るように、戦後、彰子先生の学校葬があり、延岡中学校（旧安賀多国民学校）に栗田彰子先生之碑が建立され、延岡中学校とバンクーバー日本語学校は国際親善姉妹校となって、両校の生徒や関係者の交流が行われるようになり、延岡中学校では毎年6月29日に栗田彰子先生の追悼慰霊祭が行われています。

紫陽花に師の面影をしのびつつ空しきものと涙拭はむ（高橋英子）

遠き夏殉職の師の若きまま（佐々木公）

なにがこれほど多くの人の魂を動かしたのでしょう。それは、たくさんの夢がありながら25歳の若さで死ななければならなかった彰子さんの無念さが分かるからです。ここから彰子さんのような犠牲者を二度と出してはいけない、しっかり平和を守っていこうという決意が生まれました。

２００９（平成21）年6月16日、バンクーバー日本語学校ならびに日系人会館校長の本間真理先生が彰子さんの慰霊祭へ次のようなメッセージを寄せています。

戦争がなければ、どんなに多くの方々が今も生きていらっしゃったことでしょう。戦争がなければ、どんなに多くの方々の夢がかなえられたことでしょう。たくさんの戦争犠牲者の尊い命や夢と引き換えに、今、私たちが享受している平和があることを痛感せずにはいられません。

２０１８年６月29日にも延岡中学校で彰子さんの慰霊祭がありました。栗田さんの一番下の弟で、今は88歳になるピーター・オサム・クリタさんからのメッセージが披露されました。

姉ならば周りの人や両親、世界中の人を愛しなさいと言うでしょう。愛、それが姉の答えです。

「愛は一切のものを達成する」を生涯のモットーとした彰子さん。ピーターさんはその愛を深く理解していました。彰子さんの愛は今両親や周りの人だけでなく、世界に向けられています。

なお、これらの交流や慰霊祭についての「夕刊デイリー」の記事は、太平洋を越えてカナダの日本語新聞 The New Canadian で紹介されています。カナダ（バンクーバー）でもいかに多くの人々が彰子さんの若い死を惜しみ、崩れぬ平和を願っているかが分かります。

彰子さんの追悼行事など

- 1945（昭和20）年10月29日　学校葬（吉田敏先生の描いた肖像画が祭壇に。「栗田彰子先生を弔う歌」唱和）
- 1946（昭和21）年2月28日　追悼慰霊祭（バンクーバー）
- 1951（昭和26）年10月5日　延岡中学校（旧安賀多国民学校）「栗田彰子先生之碑」建立（母親ハツ、妹永井ヨシ子の参列。遺骨がカナダへ帰る）
- 1980（昭和55）年5月8日　延岡中学校とバンクーバー日本語学校（彰子さんの母校）が国際親善姉妹校締結。以後、両校間で生徒たちの派遣交流
- 1994（平成6）年6月29日　第50回・栗田彰子先生慰霊祭（妹の永井ヨシ子、坂口アイ子の参列）
- 1997（平成9）年9月30日　栗田彰子先生を偲ぶ会「愛は一切のものを達成する」刊行
- 2014（平成26）年10月10日　『栗田彰子の生涯　愛はすべてを解決する』（原題「The Portrait of Akiko」）永井ヨシ子（原作）荒武千穂（翻訳）出版
- 毎年6月29日、栗田先生の命日に合わせて、延岡中学校において栗田彰子先生慰霊祭が行われています。

①【文献】

- 「愛は一切のものを達成する」栗田彰子先生を偲ぶ会執筆　夕刊デイリー掲載（１９９６・７・12－１９９７・３・３　デイリー）
- 『愛は一切のものを達成する』栗田彰子先生を偲ぶ会発行（１９９７「愛」）

（注）前者２冊の「愛は一切のものを達成する」は内容的にはほとんど重複し、前者は後者の基礎資料と思われるので、引用は主に後者からとしました。

- 『栗田彰子の生涯　愛はすべてを解決する』（原題「The Portrait of Akiko」）永井ヨシ子（原作）荒武千穂（翻訳）ながと出版（２０１４「生涯」）
- 『子ども達と戦争――我が郷土を襲った戦争の記録』渡木真之著（１９９３）
- 『我が故郷に戦火燃ゆ　延岡大空襲の記録』渡木真之著　鉱脈社（１９９４「戦火」）
- 『延岡高校１００年史』（１９９９「百年史」）
- 『宮崎県女子師範学校沿革史』木犀会宮崎女師の会　江南プリント（１９９９「女子師範」）
- 『氷川丸ものがたり』伊藤玄二郎　かまくら春秋社（２０１５「氷川丸」）

②【ネット】

- 「本土空襲の墜落米軍機と捕虜飛行士」――ＰＯＷ研究会（「ＰＯＷ研究会」）
- The New Canadian
- Multicultural Canada

第二章

日本と中国の戦争と友好秘話

戦火の中から救出された少女の戦後

栫　美穂子さんの物語

はじめに

太平洋戦争は1941（昭和16）年12月8日、日本軍の真珠湾奇襲攻撃に始まり、1945年8月15日の日本の降伏をもって終わりました。しかし日本は太平洋戦争を始める10年も前から「十五年戦争」と呼ばれる中国への侵略戦争を進めていました。

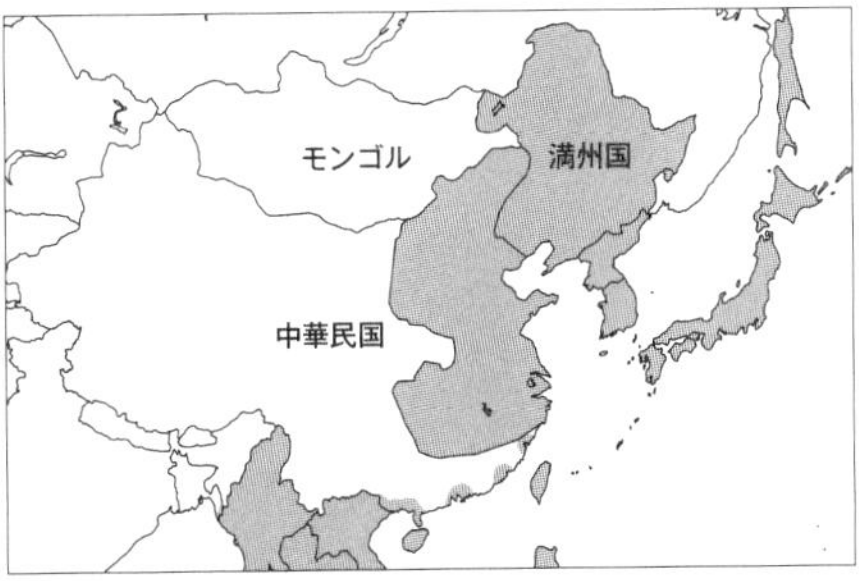

日本は、1931年9月18日の柳条湖（りゅうじょうこ）事件に端を発した「満州事変」に始まり、1937年7月7日に引き起こされた盧溝橋（ろこうきょう）事件を経て、中国大陸進出への戦線を拡大していきました。「日中戦争」とも呼ばれる全面戦争に発展していきました。日中戦争は、日本の中国への侵略そのものでした。

これから見ていく「戦火の中から救出された少女」の物語は1940年8月20日の夜から始まりますが、その頃日本軍は中国全土に戦線を広げ、中国の主要な都市を占拠し、1938年11月から臨時首都となった重慶（チョンチン）（じゅうけい）への無差別爆撃を行っていました。それに対して当然、中国の国民はさまざまな形で「反日」の抵抗を示していました。

1941年当時の日本の中国侵略の版図

一、日本人幼女の救出

井陘炭鉱の戦闘と幼い姉妹の救出

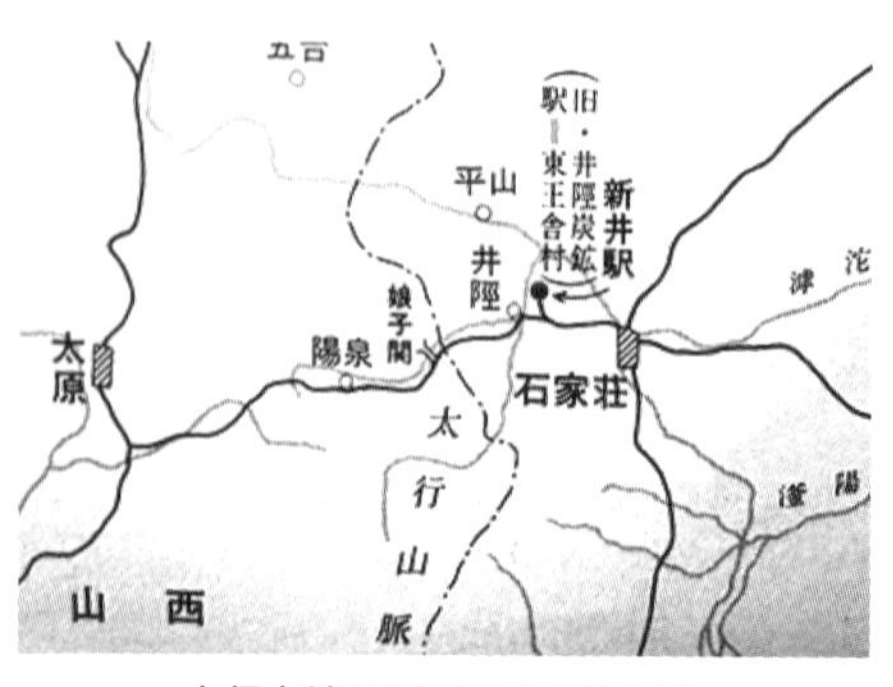

太行山地区（『将軍と孤児』より）

　物語の発端となる事件が起こった井陘（せいけい）炭鉱は、中国の首都北京から約270キロメートル南下した石家荘（せっかそう）を50キロメートルほど西に行った所にあります。峨峨たる太行（たいこう）山脈の麓を、石家荘から太原（たいげん）まで石太（せきたい）線と呼ばれる鉄道路線が通っています。当時は正太（せいたい）鉄道と呼ばれました。この路線には天然の要塞であり豊富な石炭の出る娘子関（じょうしかん）がありました。石炭は中国北部における日本軍の重要な燃料源で、この娘子関も井陘炭鉱も、華北における日本軍の重要な燃料基地でした。

　この井陘炭鉱は石炭が豊富で古くから採掘されていました。1937（昭和12）年10月に日本軍によって占領され、数十名の日本人技術者が派遣されていました。炭鉱のある村は東王舎（とうおうしゃ）といい、村にある井陘炭鉱駅は日本軍の重要な石炭積み出し基地になっていました。日本軍による占領から終戦までの8年間の間に、過酷な労働のため4万6千人の中国人労務者が死亡しました。この駅は現在は新井駅と呼ばれ、今でも石炭輸送が盛んです。

1940（昭和15）年8月20日、太行山脈の麓で、河北に駐屯していた日本軍第二十七師団と中国八路軍（日中戦争時に華北方面で活動した中国共産党軍〈紅軍〉の通称。現在の中国人民解放軍の前身の一つ）との間で大きな戦闘が始まりました。抗日戦争でも有数な大規模会戦「百団大戦」（中国軍百個連隊40万人）の一つです。

私が当時所属していたのは、勇猛で鳴らした歴戦の赤軍連隊であった。仇恨の念に燃えた戦士たちは、山を駆け下りる猛虎のように、一挙に娘子関の天険を攻め落とし、井陘炭鉱に攻め込んで、たちまち東王舎鉱区を占領した。日本軍は、我が軍の前進をはばむため、自国の民間人が撤退するのを待ちきれずに、焼夷弾をまじえた一斉射撃を東王舎村に加えてきた。鉱区はたちまちのうちに火の海となった。濃い煙が吹き出し、火の手が上がるなかで、なかば焼け落ちた日本式の家屋から、しきりに助けを求める叫びとおさな子の泣き声が、耳に突きささってきた。わが連隊の二人の機関銃手がただちに家に飛びこみ、猛火をかいくぐって、二人のおさな子と瀕死の父親を救い出した。母親はすでに砲弾にあたって息絶えていた。父親も、八路軍前線救護所で当時は不足がちだった救急用の薬剤で手当てをしたが、傷が重く、死亡した。

（『将軍と孤児』）

ここで日本人の2人の幼子が救出されたとありますが、この場面は、「救出」から40年以上も後に書かれた姚遠方（ようえんほう）の『将軍と孤児』からの引用です。姚遠方がこの本を書くにあたって調べたところでは、救出に直接関わった兵士も、救出を命じた邱蔚連隊長も既に亡くなっていました。日本人の幼子姉妹を救出した2人のなかの機関銃分隊長の李は救出の行われた年の12月に、もう1人の機関銃手である楊仲山（ようちゅうざん）はその翌年、日本軍との戦いで戦死していました。それでは姚遠方はどうして救出の詳細を知ったのでしょう。彼は当時の八路軍の「陣中日記」と「連隊史」を調べたのです。そこにはこう書かれていました。

八月二十日二十三時半、第三連隊第一大隊は（東王舎）新鉱に、敵と激戦を展開した。（……）第三連隊（第一大隊）第四中隊の二人の戦士は敵の砲火をおかし、くずれおちた家のなかから、一人の日本の女の子を救出した。（……）鉄道の駅長（注・実際は助役）は、やけどが重く、かつぎ帰ったが死亡した。

姚遠方はもっと詳しいことを知りたいと思い、その戦闘に参加した6人を見つけ出して当時の様子を聞きました。

烈火の中から日本の孤児を救った二人の兵隊は家の門を捜しているひまがなく、なかばくずれた土塀をよじのぼって家に入っていった。

濃い煙のために何も見えず、やむなく彼らは床の上を手さぐりして、やっと二人の女の子を捜しあてた。そして、その子を胸に抱きしめて火の海から走り出たのである。（同前）

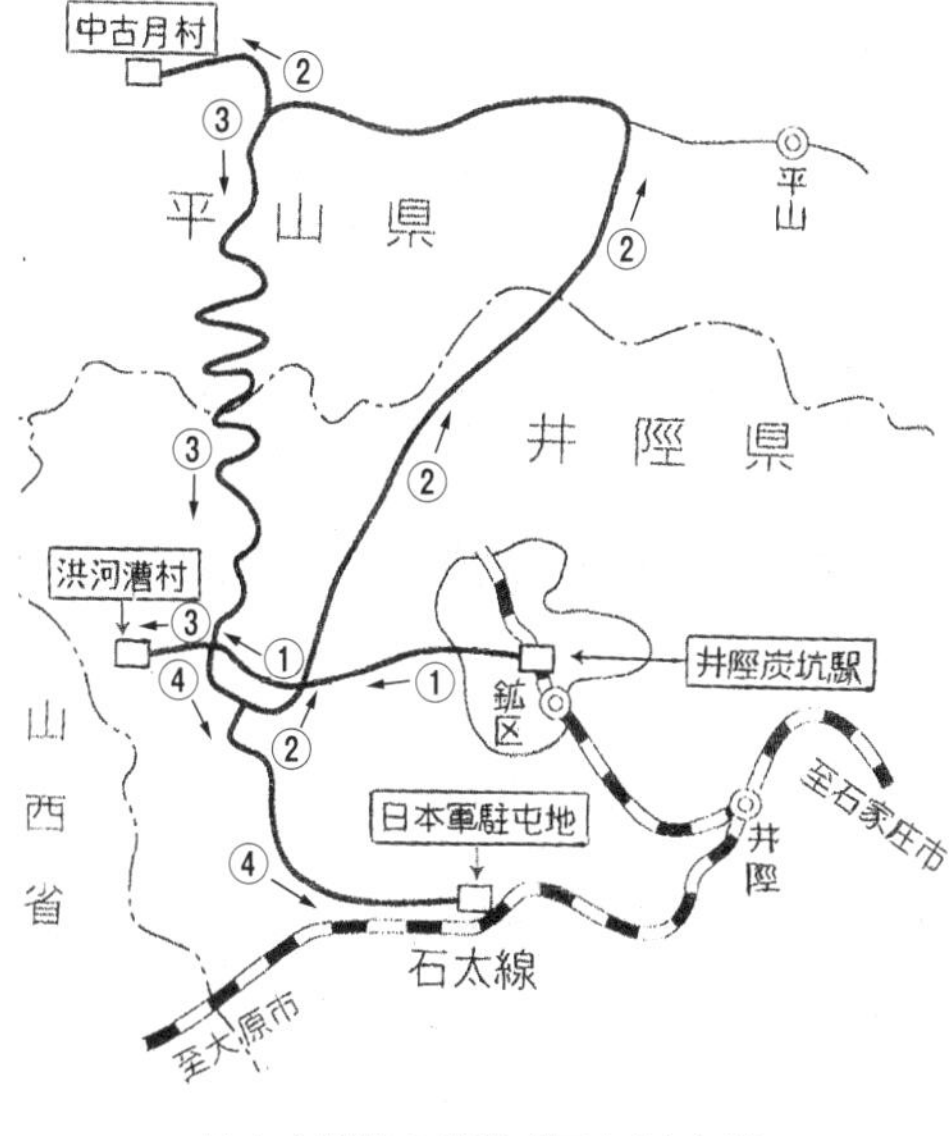

日本人姉妹の移動（『写真集』より）

将軍と日本の幼子二人

さて、井陘炭鉱駅で救出された姉妹は日本人で、妹の方は負傷していました。中国人の子どもは日本軍によって数限りなく殺戮されているので、〝敵国の女の子〟をどう扱っていいか、最初、兵士の間には戸惑いがありました。しかし、「父と母をなくしたかわいそうな子だ。子どもに罪はない。おれたちが見てやらねばならん」という声が大きくなりました。以下、**地図上の**①②③④の数字と矢印（←）を参照しながらお読みください。

八路軍第百十五師団の副司令で、同軍の晋察冀（しんさつき。今の河北省・山西省に相当）軍区司令員である聶栄臻（じょうえいしん）将軍（後の元帥）は「敵は無数の同胞を残忍にも殺害したが、この2人の子どもに罪はない。この子たちも戦争の被害者だ。私たちはこの子たちを保護しなくてはならない」と言い、2人を部隊で保護することを決め、〝日本の女の子〟を井陘県洪河漕村（こうがそう）の八路軍前線司令部に連れてくるようにと指示しました。

〝日本の女の子〟は井陘炭鉱駅・東王舎から洪河漕村の聶将軍の所までどのようにして運ばれたのでしょう。このように考えられます。2人は楊仲山によって東王舎新鉱から2キロメートルほど離れた大隊本部の救護所に運ばれ、そこから東王舎村の屈廷廷と高二英の2人によって約35キロメートル離れた洪河漕村の聶栄臻将軍の所まで運ばれた（前ページの図①←）ようです。聶将軍は妹の傷口がしっかりと包帯されているのを見ましたが、軍医のもとに送ることにしました。

游勝華軍医

井陘炭鉱の戦いの時、黒水坪（こくすいへい）村にできた前線手術室の游勝華（ゆうしょうか）軍医へ聶将軍から、負傷した日本人の女の子を送るから手当てを頼むという電話がありました。1時間ほどすると乳児をかかえた2人の兵士が馬で着きました。〝日本の女の子〟が送られてきたという噂はすぐ村中に広がりました。女の子の傷は弾丸が右の肩口から入っていましたが、幸いにも骨や大血管には及んでいませんでした。それに前線においてきちんと初歩的な手当てがなされていました。游勝華軍医は乏しいなかで八路軍の貴重な薬品を使って丁寧に治療しました。村の農婦がお乳を与えました。また2人の兵士が馬でやってきて聶将軍のもとへ連れて帰りました。

姉の方は「興子（シンズ）」「興子（シンズ）ちゃん」と呼ばれるようにもなりました。どうしてそうなったのでしょうか。救出から40年後、80歳になった聶将軍の記憶はこうです。将軍が中国語で姉の方に「名前は何というの？」と尋ねると、少女は「お母さんはどこにいるの？」と聞かれたと思ったらしく、「死んじゃったの」と答えたようです。その発音が中国語の「興子（シンズ）」と似ているため、彼女の名前は「興子（シンズ）」と思ったと言います。

「おかゆ、しっかりお食べ」。聶将軍（右）と日本人幼女

聶将軍は〝日本の女の子〟の世話をしました。乳のみ子の妹には母乳を与えなければなりません。ちょうど洪河漕村の実家に帰ってお産をしたばかりの女性が乳母役になりました。それで興子ちゃんも教わったばかりの中国語で、将軍のことを「叔叔（シュウシュウ）」（おじさん）と呼ぶまでになりました。

聶栄臻将軍はもともと子どもが大好きで、喜んで幼い姉妹の世話をしました。聶将軍は当時、手に入りにくい飴やビスケット、果物を探させました。将軍は部隊を指揮しな

聶将軍の手を放さない興子

ナシにがぶりつく興子

がらも、「おかゆ、しっかりお食べ」と自らの手で食事を与えました。女の子も将軍を慕うようになって、中国のパジャマを着たままどこに行くにも将軍のズボンの端を握り締め、影のように付いてまわるようになりました。

村から呼び寄せた農婦は、姉妹を抱いてオンドルで横になり、下の子に乳を飲ませました。人々は興子ちゃんのために粗布の軍服を子ども用の服に作り直し、とうもろこしを柔らかく煮て食べさせ、子どもをかかえて用便させせました。

将軍は彼女にナシを食べさせようとしましたが食べません。それで洗ってあげると喜んで食べました。いや、かぶりつきました。ナシは興子ちゃんの大好物で、他のものは受けつけないときでも、これだけは食べました。このナシは雪花梨《シュエホワリ》（せっかり）という河北《フーベイ》の名産です。後に日本に帰った興子ちゃん（美穂子さん）は中国のことは何も記憶していませんが、このナシを食べたことや、次にふれますが、籠(かご)に乗せられたことだけは覚えていて、祖母によく話していたそうです。

〝日本軍〟に返された姉妹

さて聶将軍は〝日本の女の子〟をどうするのが一番いいか考えました。自分で育てることも、戦場を連れてまわることもできないし、結局、2人の将来のためには日本に帰すのが一番いいと考え、日本軍の駐屯地に送ることにしました。興子(シンズ)ちゃん姉妹はいよいよ約50キロメートル離れた微水(ウェイシュイ)(びすい)にある日本軍の駐屯地(独立混成第四旅団・片山旅団)まで運ばれることになりました(89ページの図④←)。

天秤棒の両端に籠を付け、そこに姉妹を入れて交代で運ぶのです。聶将軍は籠に入れた少女の周りにたくさんの飴玉、ナシ、ビスケットを入れました。天秤棒を担いだのは洪河漕村の李化堂(リホアタン)(りかどう)という農民で、警備兵が1人つきました。聶将軍は「日本軍指揮官・将校・兵士諸君」と宛名書きされた8月22日付の手紙を李化堂に託します。日本人の姉妹はここで10日間ほど世話を受けたことになります。聶将軍が別れに際して興子ちゃんにナシを与え頭をなでている時(次ページ写真右)も、聶将軍が李化堂に何かを指示している時(同写真左)も、李化堂は聶将軍の手紙をしっかりと握っています。

聶将軍と興子ちゃんの写真は8月25日、戦場カメラマンの沙飛(シャアフェイ)(さひ)が撮ったものです。李化堂

李化堂に指示する聶将軍

別れのとき。興子と聶将軍

がいつも聶将軍の手紙を見せているところを見ると、カメラマンの沙飛がそのようなポーズを要請したのでしょう。掲載した5枚の写真はすべて沙飛が撮影したものですが、彼はこれらの写真の持つ意味を考えて、意図的にこのようなポーズを取らせたのでしょう。その意図については「沙飛」のところ（本書143ページ）で述べます。

興子ちゃんたちは発っていきました……。聶将軍は、農民の担ぐ籠に入れられて遠ざかっていく日本の少女を、深い感慨を抱いて見送りました。再見(ツァイツェン)！（さようなら）

写真によると姉妹を運んだのは李化堂です。しかし、聶将軍は八路軍輸送隊に興子姉妹を片山旅団まで送らせたともあります。二つを併せて考えると、最初に李化堂が送り、途中で八路軍輸送隊に依頼したことになります。八路軍輸送隊が進んでいくと前方で戦闘が始まっていたので輸送隊は引き返し、2

封奇書（『帰跡』より）

人を平山（へいざん）県の中古月（ちゅうこげつ）村へ連れていったとあります（89ページの図②←）。

中古月村で〝日本の女の子〟の世話をしたのは17歳の八路軍兵士の封奇書（ふうきしょ）でした。興子ちゃんはナシは食べましたが、ビスケットも飴も食べません。最初は言葉が通じないので困りました。日本語が少し分かる馬幹事が助けてくれました。しばらくするとまばたきひとつで何を求めているのか分かるようになりました。クルミも食べませんが、何とか工夫して食べられるようにし、２人で食べました。封奇書は興子ちゃんを小川や野に連れていっては一緒に遊びました。興子ちゃんは次第に元気になり、妹の怪我の方もよくなりました。

この村に20日間ほどいると、洪河漕の聶将軍から日本の姉妹を再び将軍のもとへ連れて来るようにとの指令がきました。聶将軍は、最初姉妹を日本の駐屯地に送らせましたがうまくいかず、今は中古月村で養われていることを知ったのです。その地もいつ戦場になるか分からないので、〝日本の女の子〟はやはり日本人のもとへ帰した方がいいと考えたのでしょう。

出発にあたって封奇書は二つの麦わら帽子、それに白砂糖とビスケットを手に入れて姉妹に与えました。そして籠の底に麦わらを厚く敷き、その上に油布を敷き、さらにその上に夏ゴザを重ねました。妹にお乳を与えていた乳母役の陳文瑞（ちんぶんすい）

は最後のお乳を飲ませ、姉妹の衣服と靴下を新しいのと取り替え、手や顔をきれいに拭いてあげました。村人は別れを惜しみ、村の入り口まで見送りました。

封奇書と2人の農民が交代で籠を担ぎました。今度は標高1000メートルの岩道がギザギザに蛇行する道を行かねばなりませんでした。再び真夏の太陽に焼かれながら歩き、米湯崖(ミイタンヤ)、黒水坪、棗林口(ザオリンコウ)を経て、翌日の午後再び約45キロメートル離れた洪河漕村の前線司令部の聶将軍のもとに着きました(89ページの図③←)。なお、この中古月村は1980(昭和55)年時点ではダムの底に沈み、代わりに別の場所に新しい村ができています。

さて、解放軍画報社編修責任者の峭岩(チャオエン)(しょうがん)が、籐(とう)籠を担いで〝日本の女の子〟を日本軍の兵舎に届けに行く道中を次のように詩にしています。日本語訳で見てみましょう。

これからも仲良く――かごをかついだ農民の話――　峭岩作

わしの手柄話と思わんでくれ、
わしは長話が好きじゃない、
あの時、いくつ峯を越えたっけなあ。
たしか、米湯崖を登ったぞ、

路はけわしく、曲がりくねり、
麦わら帽を取って、峯を仰いだもんだ。

ひと足ごとに汗したたり、
よろめくたびに足踏みしめる、
しかし、心はびくつかなかったぞ。

聶司令の指示だ、「興子を送れ」と。
それを思うと、力がわいた、
「どんな難所でも、どんと来い」

急斜面は、抱いて登った、
わしのことは、かまわないが、
お前に、けがはさせられない。

やっとお前を微水にとどけ、
親族に会えたと聞いて、

ほっとしたよ。

ああ、これはみんな昔のことだ、
口にするほどのことでもない、
仲良く、これからのことを語ろうか。

（『将軍と孤児』）

この詩には、実際に封奇書たちが上った米湯崖まで出てきて真実感を高めています。こうして興子姉妹は再び洪河漕村の聶将軍のもとに戻ってきます。

洪河漕の聶将軍は李化堂たちに興子ちゃん姉妹を約50キロメートル離れた微水駅の日本軍駐屯地へ連れて行くように命じます（89ページの図④←）。李化堂たちが十数里行くと戦闘が始まっていました。それで、石瓮（シウェン）という集落に引き返し、そこで八路軍に〝日本の女の子〟姉妹を微水駅にある日本軍の駐屯地まで届けてくれるように頼みました。石瓮村の欒木考（ルアンムーカオ）さんと民兵が2人を常坪（チャンピン）村まで連れて行きました。このあと常坪村の許風堂（シュイフォンタン）夫人が2人を日本軍の駐屯地まで届けてくれました。

日本軍の駐屯地では2人の日本人女性が興子ちゃん姉妹を迎えました。日本軍駐屯所には2度向かったことになりますが、姉妹が最終的に日本軍駐屯所にたどり着くまで、実に計1600キロメートル以上の道のりを移動しました。この多くは2人の姉妹を入れた籐籠を担いだ道のりですから大変です。この日本軍駐屯所は2005（平成17）年現在では廃墟となっていて人は住んでいません。ただ当時の外壁がそのままの形で残されています。

父の故郷・都城に帰る

微水駅助役の岡部義太郎さんが、この姉妹を列車で微水駅から約50キロメートル離れた石家荘市まで連れて行き、北京鉄路局石門鉄路病院へ入院させました。この間に2人は加藤美穂子と留美子という名前であることが分かりました。留美子ちゃんは消化不良のため9月24日、病院で亡くなりました。日本の実家に知らせが届き、美穂子ちゃんの伯父さんの加藤国雄さん（姉妹の父・加藤清利さんの兄）と祖父がかけつけました。翌10月、美穂子ちゃんは伯父さんと祖父に連れられて宮崎県の都城市に帰りました。

美穂子ちゃん姉妹はどれぐらいの間、中国人の世話になったのでしょう。この間の日付はあまりはっきりしませんが、美穂子ちゃん姉妹が東王舎村で八路軍に救出されたのは8月20日です。そして9月24日に妹の留美子ちゃんが亡くなりました。都城に連絡が入って、美穂子ちゃんが伯父さんと祖父に連れられて帰国するのは10月です。そうすると、2人があちこち移動しながら中国の人々に養育された期間は一カ月強といえるでしょう。

以上、美穂子ちゃん姉妹がトーチカから救出され、日本に向かうまでを見てきましたが、驚くのは中国人の心の広さです。美穂子さん姉妹の救出には30数名もの人々が協力してくれました。一方、美穂子ちゃん姉妹を助けてくれた四つの村だけでも日本軍の「三光作戦（奪いつくす・焼きつくす・殺しつくす）」によって約500人もが犠牲になりました。日本の侵略軍はいかに残虐であったかを、美穂子さんが日本に帰った後のことになりますが、具体的に見てみましょう。

興子ちゃんを助けた村々を虐殺した日本軍

1943（昭和18）年9月19日、日本軍は4万の兵力をもって、「晋察冀（しんさつき）辺区（抗日根拠地）」の大掃討を開始しました。晋察冀解放区は抗日戦争の開始直後に聶栄臻将軍の指揮する八路軍によって建設された解放区で、現在の山西省、察哈爾、河北省、遼寧省、内モンゴル自治区にまたがる地域に設置されました。「辺区」は当時の中国共産党指導下の根拠地をいいます。

同年11月12日、4千余名の日本軍がこの辺区にある黒水坪、大洛水、米湯崖などの村々を襲いました。黒水坪村は怪我した留美子ちゃんを手術してくれた游勝華軍医がいた前線手術室があった村です。またこの黒水坪や米湯崖は峭岩詩「これからも仲良く――かごをかついだ農民の話――」に出てきた村で、美穂子ちゃん姉妹が通った村です。

この地区は縦横5キロメートルにもなりません。各村の村民はすでに抗日政府の指示に従って山に避難していました。日本軍はまず村を襲い、焼き、殺し、それから大挙して山狩りを始めました。村民を捕まえると、穀物を隠した場所を言えと迫りました。日本軍は山、谷、洞、溝などをくまなく捜索していったので、行き場のなくなった150人ほどは山の中腹にある老虎洞（ろうこどう）に隠れました。しかし同月14日に発見されると、日本兵は若い女性だけを再度洞窟に入れて陵辱し、その後全員を中に入れて国際法で禁止されている毒ガスで殺しました。逃れることができたのは150人の中でたった1人でした。

日本軍が去った後、村人は山を降りて村に帰りました。そして見ました。家々はすべて灰燼と化し、衣類や食料は略奪され、家畜類はすべて殺されていました。そして村から逃げ切れなかった人々は酷たらしいやりかたで殺されていました。銃殺や日本刀で殺されただけではありません。梁から逆さ吊りにされて焼き殺された死体、陰部に木の棒を突っ込まれて殺された女性、沸騰した湯を掛けられて死んだ人、大きな石で潰された死体、軍用犬にかみ殺された死体、首と男性器を綱で繋がれて井戸に投げ込まれた死体、深さが10メートルほどもある村の三つの井戸は投げ込まれた死体でいっぱいでした……。これが1943年11月14日に起こった「河北省新井県黒水坪老虎洞虐殺事件」で、地区全体の虐殺被害者数は1000人を超えていました。

時間は少し後になりますが、他にも美穂子さん姉妹を助けてくれた人々が日本兵によって虐殺された村があります。

東王舎村＝美穂子さん姉妹が燃えるトーチカの中から救出された村です。1945年5月26日早朝、日本兵数百人に襲われ、11人が木に縛り付けられて銃剣で刺殺され、1人が焼き殺され、8人が強制労働のため日本に送られました。

常坪村＝美穂子さん姉妹を最後に日本軍駐屯所に届けてくれた許風堂夫人の住む村ですが、ここでも多くの人々が日本兵の犠牲になりました。特に日本軍の道案内を拒否した理由で陳保長（チェンパオチャン）村長と2人が土中に生き埋めにされて殺されました。また5人が鹿児島の飛行場建設のため強制連行されました。

日本軍兵士による虐殺は至る所で行われていたのですが、それにもかかわらず美穂子さん姉妹の救出の時、聶将軍は「子どもには何の罪もない。敵はわれわれの無数の同胞や子どもを残忍に殺したが、われわれは決して日本の人民や子どもを傷つけてはならない」と語って、「敵の子ども」の命を救ってくれたのです。これこそ真の人道主義です。

聶将軍の手紙

ところで美穂子・留美子ちゃん姉妹が出立する場面で見たように、李化堂は、聶将軍が日本軍司令官に宛てた1940（昭和15）年8月22日付の手紙を手にしています。「日本軍指揮官・将校・兵士諸君」で始まるその手紙はとても感動的です。

聶将軍は2人の日本の女の子の救出の事情を説明した後、「孤児となったこの幼女たちが異国の地を惨めな姿でさまよい、谷間に落ちて死んでしまうような仕儀とならないよう希（のぞ）む」と書きます。まるで父親が自分の子どもを案ずる気持ちです。

聶将軍の直筆の手紙（沙飛撮影）

日本軍ははるばる海を渡って中国にやってきて殺戮を欲しいままにしていますが、この手紙にはその日本兵に対する憎しみ・憎悪は見られません。それどころか自分たちは日本軍によって殺され、焼かれ、犯されているのに、「（日本の支配層が）彼ら（日本人）を故郷から引き離して戦争に突っ込ませ、人の妻を寡婦にし、人の子を孤児にし、人の父母を子のない孤独な老人にしている」と、敵である日本人のことを案じています。日本兵自身も、中国で中国人を虐待・虐殺するように強いられひどい目に遭わされている――自分たちを殺しにやって来た者をこのように見るとは、階級的視点は厳しく、素晴らしいものです。

また聶将軍は、「中日両国人民の間にはもともと恨みはなく、侮蔑し合うこともない」「中国人民は決して日本の将兵・人民を仇敵とするものではない」、敵は「日本の支配層」「日本を支配する軍閥・財閥」なのだと言います。将軍は日本の支配層と国民を区別しているのです。

聶将軍は最後に、日本兵に向かって、「君たちが翻然と覚醒し、中国の将兵・人民と共に心を一つに力を合わせて解放のために共に戦うことを心より希望したい」と結びますが、この切々とした呼びかけは本当に心に響きます。日中戦争では、捕虜となった日本人の少なからぬ部分が日本の侵略性に気づき、中国側に立って戦うようになりましたが、せめてもの救いと言えます。

日本軍の司令官は中国語で書いた返事を聶将軍に送ってきました。それには2人の子どもを受け取ったこと、中国軍の人道主義精神にとても感謝すること、将来平和になった暁には面会して感謝の御礼を申し上げたいこと等が書かれていたといいます。しかし聶将軍はこの返信を発表しませんでした。

二、40年後の〝里帰り〟

「興子ちゃん」の発見

1940（昭和15）年8月20日、井陘炭鉱の東王舎村で日本人の女の子2人が八路軍の兵士によって戦火の中から救出され、各地の多くの中国人に保護され、同年10月、伯父さんと祖父に連れられて日本の都城に帰りました。

その1年後の1941年12月8日に始まった太平洋戦争は、1945年8月15日、日本の敗北で終わりました。日本の敗戦により解放された中国では、内戦を経て、1949年、中華人民共和国が成立しました。そして戦後33年経った1978年8月12日、日中平和友好条約が締結されました。その2年後の1980年には興子ちゃんが日本に帰って40年が経ちました。

一方、中国では、80歳になった聶栄臻将軍が頻りにあの救出した〝日本の女の子〟はどうなったろうと思うようになりました。日中戦争時は兵士であり、従軍記者として活躍し、軍隊の新聞発行に携わり、今は解放軍報副社長である姚遠方（後に『将軍と孤児』を書く）も同じことを考えました。「あれから四十年になるが、あのよるべのない二人の孤児のことは、頭からはなれたことはない。日本の兵営に送りとどけられたあと、どんな境遇に出会ったろうか。かよわい二人が、あの混乱のなかを生きのびることができただろうか。戦後、二人は故郷に帰ったのだろうか」。

そこで姚副社長は「日本のあの女の子は、今どこに？」と題する文章を書きました。その文章は1980年5月28日の人民日報、中国解放軍画報などに写真を添えて掲載されました。翌29日、読売新聞は、その「日本のあの女の子は、今どこに？」を救出時の聶栄臻将軍と興子ちゃんの写真を添えて掲載しました。題して、「興子ちゃん姉妹、今どこに　戦火から救った孤児　聶将軍、40年後の呼びかけ」（写真）。

昭和55年（1980年）5月29日（木曜日）

興子ちゃん姉妹、今どこに

戦火に救った孤児

聶将軍 40年後の呼びかけ

日本軍に引き渡した

興子ちゃんを探す読売新聞の記事
（1980年5月29日付）

幾つかの線から興子ちゃん探しが行われました。美穂子さん自身はその新聞を読んだ時は、私と似た運命を辿った人もおったのねぐらいにしか考えなかったと後から語っています。中国の鉄道省から日本占領時代の井陘炭鉱駅に加藤清利という助役がいたという知らせが入りました。また美穂子さんのお父さんが働いていた井陘炭鉱駅の線からも入りました。井陘炭鉱駅は南満州鉄道の「河北交通株式会社」の管理下にあったので、河北交通には古い「殉職社員名簿」があったのです。その中に当時の井陘炭鉱駅助役（副駅長）・加藤清利の名前が見つかりました。その欄には「長女　加藤美穂子」「宮崎県北諸県郡中郷村」ともあり住所も確認できました。興子ちゃんの本名と日本の住所が分かったのです。

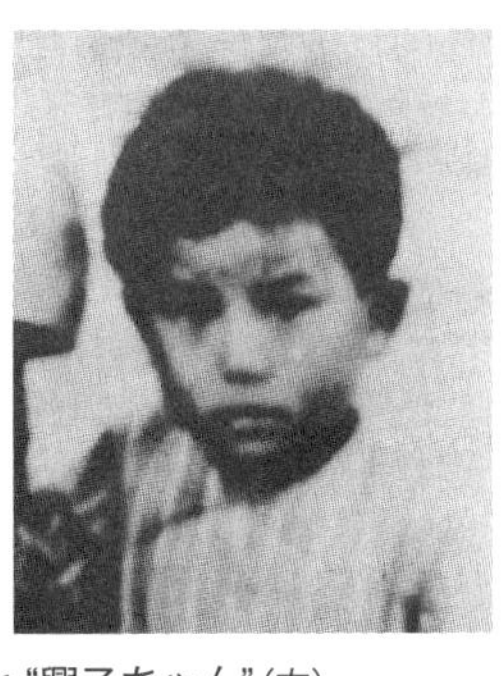

美穂子ちゃん（左）と"興子ちゃん"（右）

まっさきに読売新聞が、今は結婚して都城市に住む椨美穂子さんを見つけ出しました。この時、沙飛が、聶将軍と一緒に撮した興子ちゃんの写真が大いに役立ちました。都城には美穂子さんが3歳の時お母さんと一緒に撮した写真もありました。問題はこの2枚の写真、つまり興子ちゃんと美穂子ちゃんが同一人物かどうかということです。顔立ち、特に目もと、鼻筋、口元はよく似ています。2人とも同じ人物のようです。この2枚の写真は日本のすべての新聞に掲載されて全国に流され、日本中が驚きました。

こうして姚遠方の「日本のあの女の子は、今どこに?」が中国の新聞に発表されてからたった6日後の6月3日、「興子ちゃん」は40年ぶりに発見されました。興子ちゃんは美穂子さんだったのです。美穂子さんは、「40年も経って、命の恩人が見つかるなんて!」と感激して泣いてしまいました。

中国の加藤清利さん一家
（『日中友好』より）

美穂子さんは1936（昭和11）年7月9日の生まれです。お父さんの加藤清利さんは郷里の中学校を出た後、東京鉄道学校に入学し、卒業後中国に渡ります。1939年、河北省井陘炭鉱駅の助役になり、翌年、奥さんと戦火の中で亡くなりました。お母さんはムツ（睦子）という名前でした。あまり鮮明ではありませんが、「日中友好」に家族が全員入った合成写真があります。ムツさん（24歳）が赤子の留美子ちゃんを抱いています。留美子ちゃんは7カ月、長女の美穂子ちゃんは4歳とあります。そうするとこれは明らかに中国で撮した写真です。きっとお父さんの清利さん（30歳）が撮したのでしょう。中国においてではありましたが、一家はこのように平和に暮らしていました。それが1940年8月20日の夜半を境に、この平和は地獄と化しました。改めて侵略の罪の重さを知る思いです。

中国から帰った後、美穂子さんは彼女を中国に迎えにきてくれた母方の伯父の加藤国雄さんと祖母のもとで暮らしました。加藤家は小農で大家族だったので、生活は楽ではありませんでした。美穂子さんは地元の高校を卒業後、農家や商店でアルバイトをしましたが、村の農協に勤めるようになり、そこで知り合った栫昭男さんと1956年に20歳で結婚しました。美穂子さんは家計を助けるため玩具や文具を扱う小さな店を開き、やがて夫の昭男さんと2人で金物店を営むようになりました。

ご家族を紹介します。上の写真の右からご主人の昭男さん、次女の聖子さん、美穂子さん、三女の留美子さん、長女の真智子さんで3姉妹です。三女の留美子さんは中国で亡くなった留美子ちゃんに似ているというので彼女の名前をもらいました。

日本中から、また中国からも「興子ちゃん」の発見を喜ぶ手紙がたくさん美穂子さんのもとに届きました。日本敗戦の時、親にはぐれて中国人に養ってもらい帰国した孤児の叢輝（ツォンホェ）さん（女性）の手紙を紹介しましょう。

喜びの美穂子さん一家（都城にて）

思いがけず、ラジオ・ニュースで、興子（美穂子さん）が日本の宮崎県で見つかったことを知り、うれしくてたまりません。日中間の友誼を反映した、この波乱に満ちた物語も、これでハッピー・エンドになりました。私たち日本の孤児は、自分の経験から、あの不幸な戦争の時期でさえ、中国人民は日本人民に対して友好的であったこと、また、日本人のなかでも、道理をわきまえた人は、中国人民に友好的であったことを深く認識しております。

美穂子さん！　あなたは、日中友好の歴史の証人です。富士山と太行山脈の松のみどりが、永遠におとろえないように、日中両国の人民は、子々孫々まで友好をつづけることでしょう！

中国人は日本軍に侵略されながらも日本人に対しては友好的であり、国家が中国を侵略した時にも中国に対して友好的でありつづけた日本人がいたという事実は素晴らしいことです。美穂子さんの救出と発見は本当にヒューマニズムの精神の表れで、この事実は万巻の書にまさるものです。

美穂子さんから聶元帥への手紙

美穂子さんは早速聶将軍に手紙を書きました。

拝啓　聶栄臻将軍閣下

失礼ながら乱文を御許し下さいませ。早速ですが、閣下が救い出した「幼い日本人姉妹はいまどこに」の新聞記事をみてびっくりしました。私が将軍のさがしておられる「興子ちゃん」ではないでしょうか。

私は当時四歳、妹は一歳で、その時の記憶はありませんが、私の父は河北省井陘県井陘炭鉱線井陘駅の職員で、昭和十五年八月二十一日に戦死し、母も砲撃を浴びて死にました。

伯父の話では、私たちは八路軍に連れて行かれ、そして戻されたそうです。残念ながら妹は九月二十四日、北京鉄路局石門鉄路医院にて死にました。帰国当時、私自身、祖母に「ナシを食べた」「かごに乗せられた」事などよく話していたそうです。

祖母は貧農で、当時経済的に苦しい家庭環境に育ち、口にはいい表すことのできない苦労の連続でしたが、今は主人や三人の娘にも恵まれ、生きているよろこびを感謝しています。日中国交復帰が出来た時、瞬間的に父母の生存を祈った事もありました。

出来るならば、父母、妹の死んだ場所をたずね、健康で生きている事を感謝して、充分に弔ってやりたい気持ちです。

事情が許すならば、訪中して、閣下にお会いし、今日生きているよろこびを感謝申し上げたい気持でいっぱいです。

今後もますます御壮健に御活躍くださる事を御祈りいたします。

かしこ

椨　美穂子

多少長くなるのを承知で、美穂子さんの手紙の全文を紹介したのは、文は人なりと言いますが、美穂子さんの素朴な人となりを知ってもらうためです。聶元帥という雲の上にいるような偉い人に書く手紙なのに、畏れることなく、気取ることなく、過度の敬語を使うことなくとても素直な文章です。そしてとても要領のよい文章です。このような文章を書くことはなかなかできることではありません。

そして一番大切なことは聶元帥のおかげで今は御主人や3人の娘さんにも恵まれ、生きている喜びを感謝しているということです。困難ななかを聶将軍に助けてもらったのに、実はその後亡くなっていたとか、不幸な境遇にあるということでは聶将軍も喜ぶことはできません。美穂子さんは聶元帥に会って、今、このように生きていることの喜びを感謝したい気持ちでいっぱいなのです。そしてまた、美穂子さんは中国で死んだ父母と妹の墓前にも、元気に生きていることを報告したいと言っています。亡き父母に対する思いが強く感じられます。これは聶将軍に助けてもらったからこそできることです。

聶元帥との再会

1980（昭和55）年7月10日は美穂子さんの44歳の誕生日でした。この日、美穂子さんは中日友好協会に招かれて、夫の昭男さん、3人の娘さんとともに中国の北京に渡りました。そして翌日の11日は、中国人民革命軍事博物館を参観しました。そこには、救出された美穂子さん姉妹の拡大された写真が掲示されていました。また日本軍の行った「三光作戦」の酷（ひど）い写真もありました。長女の真智子さんは、中国のみなさんのおかげでお母さんが救われ、そのおかげで今日の私たちがあるのねと語りました。

聶元帥と美穂子さんの再会

7月14日、北京・人民大会堂で美穂子さんは聶元帥と40年ぶりに再会しました。あの若々しかった聶将軍も今は80歳になっていました。元帥は美穂子さんの手を取り、あの頃あなたはまだとても小さかった。しかしあの幼い面影はずっと自分の記憶に残っていたが、40年経った今の美穂子さんにもあの頃の面影が見いだせると語りました。美穂子さんは、元帥の手を握ったとたんにもう実の父に会ったような気持ちになって涙がこみ上げてきました。元帥のことは記憶にはありませんでしたが、自分のどこかが覚えていたようでした。美穂子さんは聶元帥にこう話しました（以下2人の対話は『将軍と孤児』によります。カッコ内筆者）。

中国は私の生まれた国で、中国人民は人類友愛精神に満ちた人民で、将軍は私の命の恩人で、生きている「菩薩」です。私は健康で生き残り、ここに来て、将軍に会えました。この私の気持ちを言葉で表すことはできません。一部の旧日本軍人はこの事件の経緯を知り、非常に感動して、恥ずかしく感じ、中国侵略戦争の罪悪を一層認識できました。

それに対して聶元帥は美穂子さんにこう話しました。

貴女を救ったことは私だけが出来ることではなく、われわれの軍隊、われわれの人民、誰かれを問わずに、このようなことに逢ったら、みんな同じやり方をします。私たちは戦争をやめ親善を図りましょう！　中日両国人民は世々代々友好的に行って、永久に武力衝突を起こさないようお祈りしましょう。

中日両国の人民は、日本の侵略戦争の中で大きな災難を被りました。あなたはまさにそうした例の一つです。これ（美穂子さんの救出）は私個人のしたことではありません。われわれがそうしたのは、中国人民解放軍が人道主義の光栄ある伝統を持っているからなのです。今日あなたがご家族とともに幸せに暮らしていることを知り、とてもうれしいです。中日両国が友好関係をうち立てたおかげで、あなたを探し出すことができました。両国人民の友好関係が世々代々にわたって続くことを願います。

聶元帥が言うように、美穂子さんたちを救ったのは八路軍の革命的人道主義で、美穂子さんが発見されたのは中日両国が打ち立てた友好関係のおかげです。

美穂子さんは聶元帥といろいろ話しましたが一番ショックを感じたのは、美穂子さんを救出した時、このまま中国で育てるか、日本人のもとに戻すか、ずいぶん悩んだという言葉でした。どちらになるかは美穂子さんにとってはとても重要な分かれ目でした。

聶元帥は美穂子さんのために中国の有名な程十発（チェンシイファ）画伯に依頼して「歳寒三友（スイハンサンユウ）」（さいかんさんゆう）図を描いてもらいました。「歳寒三友」とは冬の寒さに堪える松・竹・梅のことです。松と竹は寒中にも色褪せず、また梅は寒中に花開くので、この三つは友達同士であるというのです。梅は元もと清廉潔白・節操を意味するものだそうです。元帥はそれに自ら「中日友好万古（ばんこ）長青」の題字を認（したた）めてくれました。「万古」はいつまでも永久にを、「長青」は松の葉がいつも青々としているようにを、「中日友好」はとこしえに変わらないという意味です。それで「寒い冬、百花が落ちても、松、竹、梅だけは生気を保っていられます。中日友好も松竹梅のように試練に堪えてほしい」と元帥は語って、美穂子さんに贈りました。

感激した美穂子さんは帰国後、自宅の玄関を改築してこの「歳寒三友」画を飾りました。美穂子さんはこうして命の恩人と再会しますが、気持ちは「複雑」でした。

「まあちっと大人になるまで（父母は）戦争で亡くなったんだと思っていたんです。今度は逆に敵国の人から助けられたってことになったということはですね、なんかこうちょっと複雑ですよね。もう説明できないですね。この気持ちはですね」

美穂子さんは自分の気持ちを率直に表現することを躊躇しているので、多分理解しにくい表現になっています。物心ついてから美穂子さんは日本で育ちました。それで中国との戦争で亡くなった日本人はみんな中国兵に殺されたと思い、当然、美穂子さんの両親も中国軍に殺されたと考えていたと思われます。ところが、中国に来て初めて父母を殺したのは日本兵だったということが分かります。既に見たように、姚遠方は美穂子さんの両親が亡くなった状況について、「日本軍は、我が軍の前進をはばむため、自国の民間人の撤退を待ちきれずに、焼夷弾をまじえた一斉射撃を東王舎村に加えてきた。鉱区はたちまちのうちに火の海となった」と書いています。「自国の民間人の撤退を待ちきれない」日本兵による、「焼夷弾をまじえた一斉射撃」により母は銃弾で、父は大やけどで亡くなったのです。今まで思っていたこととは逆のことを聞かされるのですから、急には信じられず混乱してしまいます。その上今度は、自分自身は両親の「敵」と思っていた中国人によって救われたと言われるのです。

このことを考えると、中国に対する美穂子さんの気持ちはそう簡単ではなく、複雑なことが分かります。美穂子さんは中国へ行くたびにこの複雑な気持ちに襲われます。

新しい友

聶元帥には聶力（ニエリエ）（じょうりき）という娘さんがいます。彼女も人民軍兵士で将軍です。美穂子さんと聶力さんが初めて会ったのは、１９８０（昭和55）年、聶元帥に会うために美穂子さん（44歳）たちが初めて中国に渡った時でした。北京空港で迎えてくれた1人が聶力さんだったのです。聶力さん

抱き合う聶力さんと美穂子さん（『帰跡』より）

が元帥の娘さんだと分かると、美穂子さんは胸がいっぱいになり彼女の胸に顔を埋めて泣きました。それ以来、美穂子さんと聶力さんは〝姉・妹の契り〟を結びました。

それから2人の行き来が始まりました。美穂子さんは聶元帥の見舞いに行った時も、聶元帥が亡くなってからも聶力さんに会いました。2人は力を合わせて1999年（平成11年）11月18日の江津（こうしん）市と都城市友好交流都市の締結にも尽力しました。都城市が友好交流都市となったのは美穂子さん姉妹が救出された中国北方の井陘ではなく、遥か南の聶栄臻元帥の生誕の地・江津でした。現在は重慶市に入っています。

聶元帥は中華人民共和国の軍人、政治家。1899（明治32）年12月29日、四川省江津県（現重慶市江津区）呉灘鎮（ごたんちん）に生まれ、1992（平成4）年5月14日北京で死没。享年92。日中戦争開始直後最初の解放区を建設し、国共内戦を戦い、中華人民共和国成立後も重要な任を担います。副総参謀長、北京市長、中華人民共和国元帥、中華人民共和国国務院副総理、中国共産党中央軍事委員会副主席を歴任しています。

2005（平成17）年8月24日午後、美穂子さん（69歳）は中国人民対外友好協会ビルで、聶力さん

（将軍）と3年ぶりに再会しました。2人は固く抱き合いました。聶力さんは「今日は娘も連れてきました。父の遺志を継ぎ、私は中日両国の恒久的な共存や両国人民の世々代々にわたる友好の実現に努力します。私たちは永遠に姉妹です」と語りました。美穂子さんは聶力さんの娘さんの聶菲（ニエフェイ）さんから大きなバラの花束をもらいました。聶力さんは優雅な中国式の上着を美穂子さんに着せました。美穂子さんは「お姉さん、ありがとう」と抱きつき、3人でとても喜び合いました。

この時、聶力さんは美穂子さんに沙飛の娘さんの王雁（ワンヤン）（おうがん）さんを紹介しました。沙飛は美穂子さん発見の手掛かりとなったあの聶将軍と「興子ちゃん」の写真を撮った戦場カメラマンです。王雁さんは出版されたばかりの『沙飛撮影全集』を美穂子さんに贈りました。美穂子さんは感激の涙を流しました。この『沙飛撮影全集』により、沙飛が処刑されたことが日本でも分かりました。その後沙飛の名誉回復運動が起こり、日本や中国で写真展や研究会が開かれようになるのですが、それについては後述します。3人は頻繁に会うようになり、美穂子さんの世界は大きく広がっていきます。

父母の眠る井陘炭鉱駅の訪問

話は戻りますが、美穂子さんが40年ぶりに聶元帥と再会した1980（昭和55）年7月14日から2日後の16日、美穂子さんは家族とともに第二の故郷の井陘炭鉱駅、今の新井駅を訪ねました。その地は父母が亡くなり、美穂子さん姉妹が救出された場所です。地元の人々が５０００人も歓迎してくれました。

美穂子さんたちが避難したトーチカは戦火で焼け落ちて、代わりに倉庫が建っていました。お父さんが働いていた事務室はそのままでした。井陘炭鉱駅の構内には昔、美穂子さん一家などを祀った墓石がありました。墓碑には「河北交通社員　故加藤清利・妻睦子・次女留美之墓」とありました。隣に古瀬という名前の夫妻と娘さんの名前もありました。美穂子さん一家と同じ時期に亡くなられたのでしょうか。また既に留美子ちゃんの名前も入っているところを見ると、彼女が病院で亡くなったことも知っていたようです。

美穂子さん一家の災難から日本の敗戦まではまだ5年もあるので、この墓石はそこで働く日本人が建ててくれたものと思われます。しかしこの墓碑は、美穂子さんたちが訪ねた１９８０年当時にはもうなかったようで、美穂子さんたちの訪問記にこの墓碑の記述は見つかりませんでした。この間には１９６６年から10年間続いた「文化大革命」がありました。その時、日本の侵略に関する多くは破壊されたと聞いています。

美穂子さんの父母と妹の
３人の墓標（井陘炭鉱駅）

この戦いのあった場所に立つと、美穂子さんの胸にも、人々の胸にも、１９４０（昭和15）年

８月20日深夜の光景が浮かんできました。

砲弾が絶えまなしに飛び交っている。塀はたおれ、家は燃え上がる。お母さんは銃弾で倒れ、お父さんは火に包まれている。赤ん坊の妹の留美子は泣き叫んでいる。もうもうとたちこめる煙。ただひとり呆然と立ちすくむ美穂子……。煙のなかから、中国語の兵隊の声が聞こえてくる……。

（『将軍と孤児』）

美穂子さんはその時、こう思っていました。……普通なら殺されていたか、残留孤児のようになっていた。聶将軍には感謝している。両親、きょうだいを奪った戦争が憎い。絶対に戦争をしてはいけない……と。

この後石家荘に向かいました。歓迎してくれる人々への対応で忙しすぎたあまり、両親が亡くなった場所で手を合わせ線香を手向けることができなかったことを、また一握りの土でも持ち帰ればよかったと、後になって後悔しました。

美穂子さん一家は八路軍戦没者墓地に赴き、特に美穂子さんたちを戦火から救出してくれた邱蔚連隊長、李機関銃分隊長、もう１人の機関銃手に純白の花輪をささげ、合掌して冥福を祈りました。

こうして第二の故郷訪問を終え、日本に帰った美穂子さんはお世話になった人々に、「中国と日本との間の古く長い友好関係から見るなら自分たちのことは一時期な不幸な出来事にすぎません、子々孫々にいたるまで友好の絆をかためましょう、自分もまた引き続き日中友好運動に邁進していきたい」と書き記しました。

果たせなかった再会

17歳の八路軍兵士の時、中古月村で〝日本の女の子〟の面倒をみた封奇書さんは、美穂子さんが日本で「発見」されて以来、美穂子さんと手紙のやり取りをしていました。美穂子さんは、その封奇書さんたちに、訪中の間に会うことができたらと期待していましたが、美穂子さん姉妹が救出された井陘炭鉱駅まで行きながら、北京市中日友好協会が調整してくれたスケジュールがびっしり詰まっていて、残念ながら会うことができませんでした。お詫びの手紙を書くと封奇書さんから返信が届きました。

40年後の封奇書さん

美穂子女士
あなたの手紙とご一家の写真をいただき、大変よろこんでおります。四十年来、あなたのことが気にかかり、消息が分かる日を待っていました。（中略）

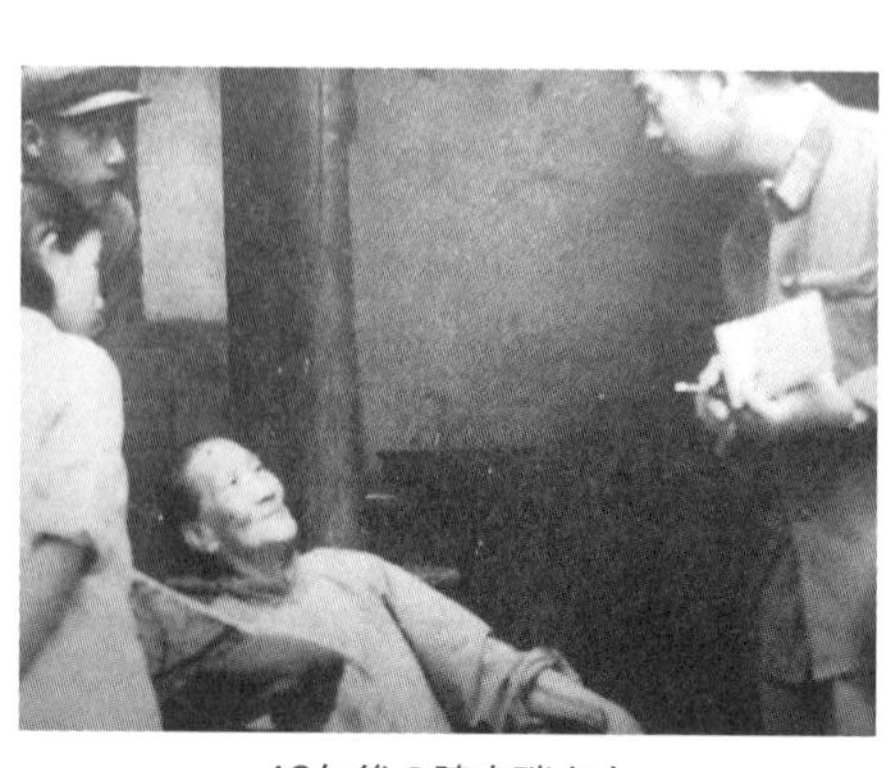

40年後の陳文瑞さん

今年七月、あなたのご一家が中国を訪問されるという知らせを聞き、われわれは、どのように歓迎したらいいかわからないほど喜びました。平山県の指導部と土地の人たちは、あなたが滞在した中古月村で歓迎会をひらき、親しい者同士があい集い、中日の友誼を語り合おうと準備していました。当時あなたの妹さんの乳母になった陳文瑞おばあさんも、二十キロほどはなれた南庄（ナンツァン）村から、わざわざくることになっていました。私は、当時あなたを聶司令官兼政治委員のもとに送っていった道すじや村々を、ご案内しようと思っていました。あなたを知るかぎりの人はみな、あなたに会いにくるつもりでした。

残念なことに、われわれはあなたに会えませんでしたので、なおさらなつかしく思っています。あなたの手紙と写真が届くと、平山県の人たちは、「美穂子の手紙がきたよ」とふれてまわったほどです。（後略）

封奇書

驚くべきことに、興子ちゃんが都城で発見され、それが新聞で報道されると、姚遠方たちの努力によって、美穂子さん姉妹の救出に関わった人々が探し出され、彼らは美穂子さんとの再会を心待ちにしていたのでした。妹の留美子ちゃんを抱いてオンドルで横になり乳を飲ませた陳文瑞さん。

彼女はB・ブレヒトの〝肝っ玉かあさん〟を思わせ、かつ限りなく優しい人です。姉妹を入れた籠を天秤棒で担いだ李化堂さん。彼は40歳年を取りましたが、心は若いままで、今は残った上歯二本でひょうひょうとしています。留美子ちゃんを治療した游勝華軍医の40年後の写真はありませんが、軍医は美穂子さんが発見された時、彼女が自分が治療したあの日本の幼女の姉だったことを思い出しました。〝日本の女の子〟の治療だったので、詳しいことまでよく覚えていました。あの赤ちゃんは完全に治療できたと思っていたのに、一カ月後に死亡したと聞いて、「そんなことが!」とさぞ絶句したことでしょう。

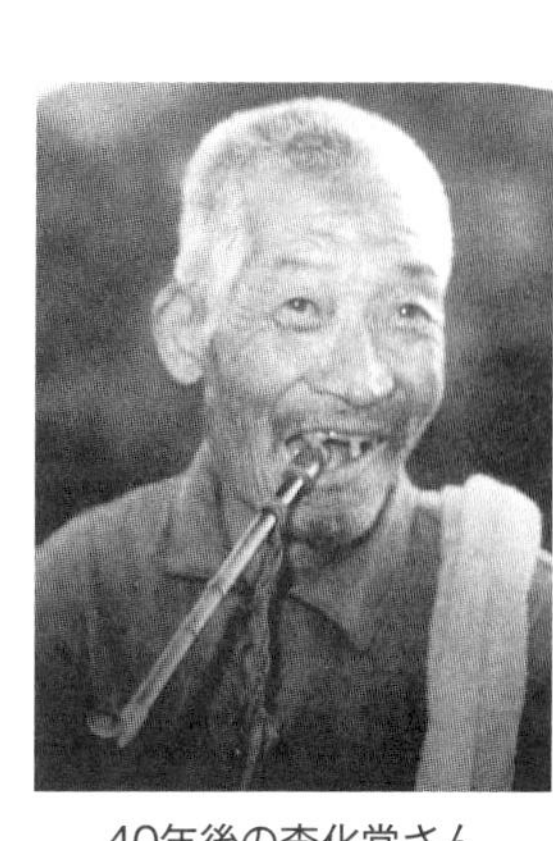

40年後の李化堂さん

封奇書さんは美穂子さんが「発見」されて以来、美穂子さんと手紙のやり取りをしたことについては既に述べましたが、封奇書さんは美穂子さんからきた手紙や写真を厚紙に貼り付けて大切にしてきました。とうとう分厚いアルバムほどになりました。封奇書さんも若い時から、今の顔を見ても分かるように本当に真面目で信頼できる人物です。彼には封継平(フォンジーピン)さんという娘さんがいて、父の死後もそのアルバムを大切に保存しています。生前、封奇書さんは継平さんによく、美穂子さんは天真爛漫で可愛らしい女の子だったと言っていたそうです。

みなさんはどれほどあの時の興子ちゃん、現在の栫美穂子さんに会いたかったことでしょう。この機会を逃した美穂子さんは、みなさんには会えないでしまいました。美穂子さんを待ち続けた彼らの気持ちを考えると、私自身もみんなに会いたい気持ちで涙が出てきます。この気持ちを前出の峭岩が次のように詩にしています。

胸のつかえ――太行の母親の話――　峭岩作

今日、山里に来た新聞の写真が、見る間に涙で濡れた。「ああ、あの子だ、あの子だよ、あの『興子』が見つかったんだよ」

なつめの熟れるころ、お前を見送った。村の衆がお前に言ったんだよ、「ひまができたら、いつでも、またおいで。ここはお前の家だからね」

柳の木陰(こかげ)にかごが消えるころ、思い出した。麦わら帽子を持たせなかったことを。「暑さにあたったら、どうしよう」村はずれまで追って行ったが、もう影はなかった。

来る年も来る年も、お前のことを考える、「無事に故郷に帰ったかしら?」麦わら帽のことを思うと、胸を針でさされるようだよ。

ようこそ、美穂子！　海を越えて、お前はやって来た。太行の村や町を見てご覧、昔とはずいぶん変わったよ。

さあ、オンドルに座って、なつめを食べ、お茶を飲もう。村の衆がやって来たよ、みんなで、何から話そうか?

洪河漕小学校での歓迎

新しい麦わら帽も用意した、どこに行くにも、かぶってお行き。四十年のむねのつかえがとれたよ、まだ何か足りないものはないかい？

（『将軍と孤児』）

62年後の帰還

美穂子さんは2002（平成14）年8月17—24日、彼女を救出・養育してくれた人々の村々に「里帰り」します。それは1980（昭和55）年の聶元帥との再会から22年後のことであり、美穂子さん姉妹の救出以来じつに62年ぶりのことです。

美穂子さんが村々を訪ねると、たくさんの人々が集まり歓迎してくれました。美穂子さん姉妹が救出された井陘炭鉱駅のある東王舍村では800人、美穂子さん姉妹を20日間世話をしてくれた平山県の中古月村では700人、聶将軍が美穂子さんを世話した洪河漕小学校前には500人の村人全員が集まり、多彩な催しで歓迎してくれました。ものすごい歓迎です。美穂子さんが「この地を一度は訪れたいと思ってきました。今日、その願いがかなって胸がいっぱいです。この感激とご恩を忘れず、今後も日中友好のために努力していきたい」と、お礼の言葉で締めると大きな長い拍手が返ってきました。

かつての八路軍指揮所は当時の八路軍作戦と聶副司令を記念する展示館になっていました。そこで美穂子さんを待ちうけていたのは、美穂子ちゃん姉妹を入れた籠を天秤棒で担いだ運送役の李化堂さんの弟の化瑞(ホアルイ)さん(78歳)でした。李化堂さんはこの17年前の1985年に亡くなっていました。化瑞さんは美穂子さんに、「当時私は17歳の少年団長でしたが、美穂子さんは何処に行くにも聶副司令のズボンをしっかり握って離しませんでしたよ」と言いました。その話は日中友好の逸話として末永く語り継がれることでしょう。

李化堂さんをはじめ、彼女の世話をしたり、妹の留美子ちゃんにお乳を与えてくれた人々はみんな亡くなっていました。美穂子さんは墓前にお参りしました。みんなが健在な時に会いたかったと強く思いながら……。日中友好協会都城支部長の来住新平さんは、「まれにみるヒューマニズムだが、日本軍の侵略という歴史の事実とあわせて語り継いでいくことが大切だと思う」と語りました。胸に響く言葉です。

三、楊仲山との再会

美穂子さん救出に関わった兵士が生きていた!!

1940（昭和15）年8月20日、美穂子ちゃん姉妹が八路軍の機関銃兵士によって救出されたものの、その機関銃兵士は日本軍との戦いで戦死したと言われていましたが、美穂子ちゃんたちの救出に自分たちも関わったという楊仲山（ようちゅうざん）という人が現れました。それは美穂子さんが自分を救出・養育してくれた人々の村々に「里帰り」した2002（平成14）年から2年後の2004年のことです。経過は次のようです。

美穂子さんと聶将軍の写真を写した戦場カメラマン沙飛の次女である王雁さんは、2004年に楊仲山さんが健在で天津（てんしん。北京の東南）に在住していることを知りました。同年8月22日、深圳（しんせん。香港の北隣）にいる王雁さんに、その楊仲山老から、今日は何の日か知っていますかという電話がありました。知りませんが……と答えると、楊仲山老は「44年前の今日、あなたのお父さんの沙飛が聶栄臻将軍と幼女美穂子の写真を撮った日だよ」とはっきりした声で答えました。亡き父のことを思い出し、王雁さんから熱い涙がこぼれました。

翌2005（平成17）年4月末に楊仲山さんから美穂子さん宛に、「私は戦争の時にあなたの生命を助けた中国八路軍兵士楊仲山です。栫美穂子の写真が欲しいです」と日本語で書かれた手紙が届きました。美穂子さんが「私の小さな命が助かったことは、みなさまが人道主義の人であり、世界の平和を愛する人であることを証明しています」と書いて写真を送ると、「非常にうれしい。日中両国人民が世世代代友好になることを祈ります」と返事がありました。

そして同年6月5日、石家荘市が発行している河北日報が、美穂子さんを救出した元八路軍兵士の楊仲山（82歳）を見つけ出したと写真入りで報道しました。それが日中友好協会都城支部長の来住新平さんの手にも届きました。来住さんは実際に中国に渡り楊さんに会って確認し、それから楊さんの存在が日本でも知られるようになりました。しかし実は、その時から25年も前の1980（昭和55）年8月20日の神戸新聞は「美穂子さん救出・元八路軍兵士から手紙・少女は強かった。砲弾の雨の中……。戦場の生々しさ再現」のタイトルで、楊仲山さんが美穂子さんたちを救出した様子を書いていました。そこには楊さんの手紙だけでなく顔写真も載っています。楊仲山さんのことは残念ながら神戸から宮崎まで届くのに25年かかったようです。

楊仲山さんが語る姉妹救出の様子

さて2005年、楊仲山さんとの再会を兼ねて「第2回栫さん救出村を訪ねる旅」が計画されました。しかし前にも見たように、この時も美穂子さんの気持ちは複雑でした。美穂子さんにとって中国は両親と妹さんが犠牲になった国でもあり、また自分を助けてくれた国でもあるからです。しかし美穂子さんは楊さんに、ただひと言「ありがとう。助けていただいたから、今の自分があるのです」とぜひ言いたいと思っていました。6回目の中国訪問でした。そして同年8月24日、終戦60周年記念日中平和友好北京集会（日中友好協会が中日友好協会と協力して開いた記念集会）の時に、北京の京都信苑ホテルの北京国際飯店で、美穂子さんと楊仲山さんは65年ぶりに「再会」しました。

楊仲山さんとの再会

82歳の楊さんは耳も遠く視力も衰え、足も不自由で杖をつき、介添人に支えられていました。美穂子さんは69歳になっていましたが、楊さんを見た瞬間に「この方が私の命を救ってくれたのだ」とパッと顔を輝かせて抱きつきました。楊さんも杖を投げ出して美穂子さんを抱きしめ、そして固い握手を交わしました。楊さんが、「わざわざ遠い日本からありがとう。再会まで65年の道のりでしたね。今日ようやく再会の場にたどりつきました」と言いました。美穂子さんが、自分を助けてくださったお礼を述べると、楊さんは、私だけでできたのではなく、他の兵士や地元の人々も一緒に協力してくださったおかげですと答えました。楊さんは美穂子さんを戦火の中から助け出した時の様子を話してくれました。楊さんは美穂子さんをトーチカから救出しただけでなく、大隊の救護所にまで連れて行ってくれたのです。

前述したように姚遠方は八路軍の「陣中日記」と「連隊史」を調べ、砲煙にむせるトーチカに入り、そこで日本人を見つけたのは第三連隊第一大隊第四中隊の2人の戦士であることを突き止めました。当時17歳の楊さんの所属部隊も晋察冀軍区第一分区第三連隊第一大隊だったのです。両部隊とも「第三連隊第一大隊」となっていますが同一の部隊だったのでしょうか。

以下、筆者による再現は主に美穂子さんと楊仲山さんのこの「再会」から作られたドキュメンタリー『帰跡・都城と中国　65年の物語』の中で、楊さん自身が語ったことに基づいています。まとめるとおよそ次のようです。

若い頃の楊仲山さん
（『帰跡』より）

当時17歳の楊さんたちの第3連隊第1大隊は井陘炭鉱の東王舎新鉱を攻めました。すると小山の麓のトーチカが燃えていて、中から子どもの泣き叫ぶ声が聞こえてきました。通信兵の楊さんが中隊長と班長と衛生人の4人で中へ入ったところ、中はすごい煙でした。日本兵1人と和服を着た女性1人が死んでいました。その傍らに少女が銃声に怯え呆然と立っていました。髪の毛ですぐ日本人だと分かりました（中国人の少女は普通髪を三つ編みにしているらしい）。砲弾が降り注いでいました。中隊長から、ここは非常に危ないので、子どもを大隊本部の救護所へつれていくようにと命じられました。楊さんは美穂子さんを抱えてトーチカを脱出し、砲弾が降り注ぐ中を、流弾から身をかばいながら、鉄条網をくぐり抜け、封鎖壁を乗り越えて走りました。砲弾の中を走り続けました。山に入りました。山道はガタガタ道で大変でした。ちょっと歩いたり休憩したりしながら進みました。辺りは真っ暗です。山を下る時も危険です。美穂子さんは子どもですから山から転げ落ちるかもしれません。それで一歩一歩ゆっくり歩きました。やっと歩きやすい道になったと思うと爆弾の音が聞こえてきました。再び山に引き返すわけにもいかないのでトウモロコシ畑やコーリャン畑に隠れ、その中を歩きました。東王舎の大隊本部の救護所に着き、美穂子さんの身体の状態を報告しました。軍医はいい物を食べさせ飲ませるようにと言いました。楊さんは最初から最後まで自分が八路軍兵士であることを話しませんでした。楊さんは美穂子さんを無事救護所まで送り届けると、すぐさま部隊に引き返しました。その日は一睡もしませんでした。

美穂子さんは、楊さんに東王舎新鉱のトーチカから2キロメートルほど離れた本営救護所まで連れてこられましたが、妹の留美子ちゃんはどうなったのでしょう。私たちの視界から消えてしまいました。楊さんがこの時2人を抱えていったという説もありますが、楊さん自身が留美子ちゃんは他の部隊によって救出されたと語っています。留美子ちゃんは銃弾を受けているので他の兵士によってこの本営救護所まで連れてこられたのだろうと思われます。

楊さんによって東王舎新鉱のトーチカから東王舎の本営救護所まで連れてこられた美穂子さんはその後どうなったのでしょう。「東王舎村志」におよそ次のような説明があります。

1940年8月、正太鉄道破襲戦（百団大戦）前夜に、地下党書記であった帳文林が経営する玉華鑫（ホアシン）薬局は戦時物資保管ステーションとなりました。戦争が始まると帳文林たちは兵士たちに水や飯を運んだり、負傷兵を運んだりしました。帳文林は負傷した日本人の女の子を自分の家に連れて来て、繃帯をまき、母親が女の子にご飯を作ってあげました。そこへ聶将軍（副司令）の命令がきたので、帳文林は東王舎村の屈廷廷（チュティンティン）と高二英（ガォアルイン）のふたりに日本の女の子を約35キロ離れた洪河漕村の司令部まで連れて行かせました。

美穂子さんはこれでようやく洪河漕村の司令部に着きました。ところで、少しこれまでの話と異なるところがあります。

美穂子さんたちがいた場所は、姚遠方では「日本式の家屋」となっていますが、楊さんは小さな土山の麓のトーチカ（鉄筋コンクリートの防御陣地）だったと言っています。姚遠方の「日本式の家屋」説は当時の八路軍の「陣中日記」と「連隊史」に基づいています。しかし1980（昭和55）年に美穂子さんが井陘炭鉱駅を訪れた時はトーチカとなっています。

しかし何と言っても40年や65年前の記憶です。曖昧なところがあるのはやむを得ません。とにかく、少なからぬ中国の人々が〝日本人の女の子〟に救いの手を差し伸べてくれました。とても有り難いことです。

ビスケットと「夕焼け小焼け」

さて楊仲山さんについての話に戻ります。美穂子さんは楊さんが自分を助けてくれた時のことについては何も覚えていませんが、美穂子さんは楊さんが話している間、目にハンカチを当てていました。トーチカとか当時のことがいろいろ出てくると、お父さんやお母さんのことを思って涙が出てきてしまうのでした。美穂子さんが両親を炎と銃弾で失った時は4歳でした。救出後、急にお父さんやお母さんを失って中国人の間を転々と移動することになった時、さぞ両親が恋しかったことでしょう。

楊さんは美穂子さんにお土産を二つ持ってきてくれました。一つは日本の富士山と中国の万里の長城が刻まれた小さなバッジで、世々代々にわたる中日の友好を象徴するものです。もう一つはビスケットでした。あの時、美穂子さんを抱いて逃げながら、楊さんはビスケットを美穂子さんにあげたのです。当時、トウモロコシ畑やコーリャン畑の中は寒くて心細く、何よりも空腹でした。何かをお腹に入れると力が付きます。美穂子さんはふた口ほどかじりましたが、硬くて食べられませんでした。それは兵士用携帯食品の黒くて硬いビスケットだったからでしょう。陽さんは、「今のビスケットは昔のとは違います。さあ、あの時を思い出しながら2人で北京のビスケットを食べましょう」と言って、美穂子さんにビスケットを差し出しました。美穂子さんはそれを食べ、「おいしい、おいしい！」と何度も繰り返しました。写真で見ると分かるように、楊さんは身体がとても大きく、本当に素朴で善意のかたまりのような人です。

あの当時、兵士用のビスケットは特に硬く、市販のものはそれほどではなかったのでしょう。しかし市販のビスケットは中国ではなかなか手に入らなかったようです。聶将軍は美穂子さんにビスケットを食べさせたいがために部下を町まで買いに行かせ、封奇書も美穂子さんにビスケットを食べさせようとあちこち走りまわっています。当時、ビスケットは大変な貴重品だったのでしょう。

さて楊さんとの再会の最後に、みんなで「夕焼け小焼け」を合唱しました。楊さんも一緒に歌いました。八路軍は日本兵に故郷を思い出させるために中国兵に日本の歌を歌わせていたので、中国兵はしっかり身体に覚え込んでいたのです。あれから65年も経つというのに、楊さんが大きな声で正確に歌うのにはみんな驚きました。

夕焼け小焼けで日が暮れて　山のお寺の鐘がなる
お手々つないで皆かえろ　烏と一緒に帰りましょう

子供が帰った後からは　円い大きなお月さま
小鳥が夢を見る頃は　空にはきらきら金の星

美穂子さんは言いました。「しあわせですね。それはやはり助けていただいた将軍はじめ楊さんのおかげと思っています。感謝です……。みんな仲よく幸せに生活できる、戦争のない世の中になってほしいですね」。最後に、美穂子さんは楊さんの手を握りしめて、長生きしてくださいねと言いました。この楊さんとの再会の時、美穂子さんは胸がいっぱいで何も言えなくなり、ただ涙が出るばかりで、もっと話せばよかったと後から後悔しました。楊さんは美穂子さんが願ったとおりに長生きしました。亡くなったのは9年後の2014（平成26）年6月2日、享年91でした。楊さんは最期まで美穂子さんと交流を持つことができて幸せだったと、娘さんの楊勝軍さんが語っています。

なお、美穂子さんと楊仲山さんのこの「再会」からドキュメンタリー「帰跡・都城と中国　65年の物語」が作られ、2006年6月14日、「第32回日本ケーブルテレビ大賞番組コンクール」で準グランプリを受賞しました。受賞の理由は、「感動的な事実から60年余の時を経て、新しい友好が生まれてくる。日中友好がさらに盛り上がっていく可能性を感じさせる」というものでした。同年7月30日、NHK（BS2）で全国放映されました。

付記・〝美穂子さん救出劇〟が生んだ日中友好

1．友好・平和のモニュメントの建立

美穂子さんと聶栄臻元帥の「再会」後、美穂子さんが救出された石家荘、特に洪河漕村等には2003（平成15）年から2005年の3年間に、美穂子さんの救出に関わる友好記念館と三つのモニュメントが建立されました。

聶栄臻孤児救出彫像

「聶栄臻孤児救出彫像」（2003年）

聶栄臻元帥と美穂子さんが手をつないだ像が洪河漕村の聶将軍の指揮所跡に建てられました。写真でみると小さいですが、実際は高さ3・8メートルもある大きなものです。

「美穂子獲救（救出）記念碑」（2003年）

美穂子さんが救出された井陘炭鉱駅鉱区の「井陘（井陘）炭鉱万人坑記念館」の前に建てられました。井陘鉱区は石炭資源が豊富で1937（昭和12）年10月に日本が占領し、過酷な強制労働により8年間で4万6000人の中国人労工が死亡しました。戦後万人坑を発掘して犠牲者の遺骨を収集し、墓苑と記念館（資料館）を建てて犠牲者を追悼しています。

記念碑の表には「美穂子獲救記念碑」と横文字で刻まれ、裏面には、再度井陘を訪れた時の美穂子さんの聶栄臻将軍と中国に対する感謝の言葉が日本語で刻まれています。

［碑文］

私は一九三六年七月十日中国で生まれ四歳まで暮らしていました。現在、日本の都城市に住んでいます。

歴史的な百団大戦が開始された一九四〇年八月二十日夜半、八路軍戦士はここ新井駅で私と妹を戦火の中から救い出していただきました。

戦火の中で両親は亡くなり、私と妹は中国軍民の温かい扶養を受け乳飲み児で怪我をしていた妹は手厚い治療にもかかわらず、不幸にも亡くなりました。私は聶栄臻将軍の崇高な人道主義精神と中国軍民の庇護のもと、日本に無事帰ることができました。

六二年後、再度この地を訪問し心から感謝の念を捧げるとともに、日中不戦と世界平和の願いを新たにするものです。

二〇〇三年十月一日

椨美穂子　作

宮崎県都城市長　岩橋辰也　書

なお、井陘鉱区万人坑記念館の敷地に隣接する位置で、「美穂子獲救記念碑」のすぐそばに、聶将軍と美穂子さんが手をつないだ像が設置されています。小さなものですが、形は「聶栄臻孤児救出彫像」とそっくりです。

美穂子さんと都城支部は記念館や記念碑の落成式や序幕式のたびに現地を訪ねています。

これらの記念館や記念碑は中国で建てられたので、全額中国政府の支出によるものと考えられがちですが、そうではなく日中友好協会都城支部が中心となり、中国の地元人民政府と協力しあって、「建設費は折半」で作られました。

「百団大戦美穂子獲救（救出）井陘・都城友好記念館」

これは美穂子さん救出と両都市友好の記念館です。洪河漕村の聶将軍指揮所跡に、美穂子さんが救出されてから65周年目にあたる２００５（平成17）年に建設されました。その落成式には、土持正弘都城市助役を団長とする市民の訪問団も出席しました。中日関係史学会の丁民（ディンミン）名誉会長が「残酷な日本軍国主義の侵略戦争のなかでも、中国人民と日本人民の伝統的な友情は途絶えなかった」と語りました。建物は２階建てで、２階は抗日戦争、百団大戦、日中友好の三つのコーナーから成ります。

「百団大戦美穂子獲救（救出）井陘・都城友好記念館」

この記念館は、石家荘市の人道・友好・平和のための「教育基地」となっています。聶栄臻元帥と美穂子さんが手をつないだ「聶栄臻孤児救出彫像」はその前庭に置かれることになりました。

「日中友好平和記念碑」（２００５年）

日本軍駐屯地近くの井陘県常坪村は、美穂子さん姉妹を日本軍駐屯所に届けてくれた故許風堂夫人が住んだ村です。それで「日中友好平和記念碑」は美穂子さん救出を記念すると同時に、鹿児島県加世田市の旧陸軍飛行場で強制労働に付された陳湧泉（チャンユンチャン）さんの健在を祝して建てられました。都城市の寄贈です。

戦後60年の中日平和友好交流北京大会が、２００５年８月25日に聞かれました。そこで日中友好協会都城支部の活躍が紹介され、万雷の拍手を浴びました。この時、来住新平支部長が、「平和のモニュメントは中国の人も日本の人もそれぞれの特徴を生かしながら一緒になってつくりましたが、この精神こそ真の友好と平和を築くためには大切です」と語っています。友好の費用は、権力を掌握した国に一方的に負担してもらうのではなく、互いに負担し合うという原則は、長い友好のためにはとても大切だと言っています。今回、使用した「記念写真集」も両友好協会によって共同で作成されたものです。

2. 温家宝首相　日本の国会（衆議院）で演説

国会で演説する温家宝首相

2007（平成19）年4月12日、温家宝（おんかほう）首相は日本の国会（衆議院）で「友誼と協調」と題して、また前年の2006年6月、「葫蘆島からの在留日本人百万人送還」の60周年に当たり、唐家璇（とうかせん）副総理は「歴史を鑑とし、未来に目を向け世々代々の友好促進に努めよう」と題して演説を行い、2人とも美穂子さんの救出と残留日本人105万人を中国北部遼寧省南西部にある港町葫蘆島（「ひょうたん島」という意味）から無事に帰国の途につかせた話をしました。

温家宝首相は以下のように話しました。

戦火が飛び交うころ、聶栄臻は戦場で「美穂子」という日本人孤児を助け、自ら世話をしました。そして、家族のもとへ送り返す方法を思案しました。1980年、美穂子さんは家族ともに、聶元帥を訪問しました。この話は多くの人を感動させました。

日本軍国主義の野蛮な侵略によって、日本が中国に与えた災難は凄まじいものでした。中国は日本軍の「三光作戦」（日中戦争下、日本軍が行った残虐で非道な戦術に対する中国側の呼称。三光とは、焼光〈焼き尽くす〉・殺光〈殺し尽くす〉・搶光〈奪い尽くす〉を意味する）によって未曾有の被害を受けました。日本軍は中国全土の半分以上を戦争で破壊し、3500万以上の軍人と民間人を殺傷し、中国の直接的な経済的損失は1千億ドル以上に達しました。それは巨大な民族的犠牲でした。しかし中国は、前述したように美穂子さんをはじめ多くの「在留日本人」を助けてくれました。中国人は、どうして日本の侵略者に対してこれほど寛大になれたのでしょうか。唐家璇と温家宝はともにこう語っています。

この侵略戦争の責任は一握りの日本軍国主義者が負うべきであり、多くの無辜の日本人民は、私たちと同じように戦争の被害者であると一貫して考えていました。戦火が飛び交っていた時でも、私たちは恨みを普通の日本人民に向けることはありませんでした。

（唐家璇）

中国のかつての指導者が何度か指摘したように、あの侵略戦争の責任はごく少数の軍国主義分子が負うべきもので、多くの日本人は戦争の被害者でした。中国人民は日本国民と友好にありたいのです。（温家宝）

唐家璇と温家宝は、ここで戦争の責任を負うのは「一握りの日本軍国主義者」と言っています。唐副総理は「歴史を鑑とし、未来に目を向け世々代々の友好促進に努めよう」と訴え、温首相は「歴史を鏡にするとは、恨みをひきずることではなく、よりよく未来を切り開くことであると」と強調しました。

美穂子さんの救出は単に異国の1人の少女の救出というものではなく、2000年の日中両国人民間の友情に支えられた「歴史的エピソード」だったのです。ここでは「残留孤児」の問題についても触れてきましたが、もし聶将軍が美穂子さん姉妹を救出していなければ、美穂子さんも「孤児」の一人になっていたかも、あるいは山野に屍をさらしていたかもしれません。しかし幸いなことに、多くの残留孤児と同じように心温かい中国人に助けられたのでした。日本に帰った日本人孤児は中国の養父母たちのことを忘れなかったように、美穂子さんにとっても聶将軍は父のような存在で、何度も中国を訪れ高齢の聶元帥を見舞いました。

3．従軍カメラマン・沙飛のこと

聶栄臻元帥と美穂子さんの再会を可能にしたのは、聶将軍と幼い美穂子さんを写した戦場カメラマン、沙飛（さひ）の力に依るところが少なくありません。沙飛はどうして2人の写真を撮ることになったのでしょう。そこには写真に対する沙飛の考えと類い希な瞬間の一致があったからです。このような観点から沙飛について見てみましょう。

カメラを構える沙飛（27歳）

沙飛は本名を司徒伝（しとでん）と言い、1912年5月5日に生まれ、上海美術学校時代に文豪・魯迅と知り合い、思想的な啓発を受け、魯迅の晩年や臨終の姿などを撮影します。

1937（昭和12）年7月の「盧溝橋事件」をきっかけに日本軍が中国全土に侵略戦争を拡大すると、沙飛は聶将軍のもとで八路軍最初の従軍カメラマンとして、また「晋察冀画報」の社長として活躍しました。しかし中華人民共和国が成立した1949年、入院中に、八路軍の医療活動にもあたり自分の主治医でもあった日本人の津沢勝医師を射殺しました。翌年3月、聶将軍の判決により、銃殺刑に処せられました（享年37）。

抗日戦争下、沙飛はシャッターを押し続けました。1221枚のネガが遺されましたが、戦闘場面を撮っても日本軍による中国人虐殺の場面はあまり多くなく、八路軍による日本兵の捕虜教育、日本人捕虜の反戦活動、聶将軍と美穂子さん、農民の生活、八路軍の開墾作業、貧しい子どもたち、戦傷兵、治療するカナダ人医師、また中国共産党代表と国民党代表の米国特使との談笑など、中国革命の歴史的な場面を写しています。沙飛は戦闘場面だけでなく民衆の生活をも写し続け、民衆の目線で写真を撮り、沙飛の写した民衆は戦争の時代にもかかわらず明るい顔をしています。沙飛はヒューマンな写真を撮ることによって人々に希望を与えたのです。

沙飛は従来の写真の意味を一変させました。従来は写真というとブルジョアの生活を写したり、家族の記念写真、また新聞用の写真でした。ところが沙飛は戦いや戦争の中の捕虜や庶民の生活を写したのです。沙飛はまさに中国写真界の草分け的存在でした。ペンネームを「沙飛」としたのは、一粒の砂となって祖国の空を自由に飛び回りたいという気持ちからでしたが、まさにそのとおりの活躍でした。

日本軍捕虜に「寛大政策」を語る八路軍の幹部（沙飛撮影）

沙飛は八路軍の井陘炭鉱攻撃や破壊された炭鉱の撮影を終えた後、たまたまこの場に来合わせたのですが、次に石家荘から太原までの鉄道路線である石太線の川にかかる鉄橋の破壊作戦を撮影する予定になっていました。しかし聶将軍から〝日本の女の子〟を日本軍の駐屯地に送り届けたいがどうしたらいいだろうと相談を受けて、石太線鉄橋破壊には他のカメラマンに行ってもらい、彼自身が2人を撮影したのです。沙飛にはこの写真の意味が分かっていました。美穂子さんが日本で発見される33年も前の1947（昭和22）年のことになりますが、沙飛はこう語っていました。「われわれの戦士は敵と戦うときにはとても勇敢で、敵に対する恨みはとても深いものだけど、敵の遺棄した子どもに対しては、こんなに優しい。これは大きな出来事だった。われわれ人民の軍隊は戦士から将軍まで、捕虜政策をみんなが理解し、革命的な情け深い思いがあることはここから具体的に説明できた」（『沙飛』）。敵国の少女の救出こそ、中国人民解放軍の人道主義を表すものであると見て取ったのです。

カメラマンとしては人道主義を言葉で表現しただけでは足りません。特に文盲が多い当時の中国では、誰にでも分かるように写真の中で表現しなければなりません。それで沙飛は聶将軍に言って、将軍が〝日本の女の子〟がお粥を食べるのを見て喜ぶとか、敵国の〝女の子〟と手を取り合うとか、女の子が一番大好きなナシをあげてかぶりつくのを見て喜ぶとか、別れを惜しんで女の子の頭をなでるとかそうしたポーズを求めました。その理由は、この中国人民解放軍の人道主義を強調するためのものだったといえます。若干〝出来過ぎ〟の感があったとしても、中国人民解放軍の精神にはいささかの偽りもありません。聶将軍と〝日本の女の子〟を写した写真は全部で6枚あります。それらはまるで自分の子どもに対するようで本当に人間味あふれる光景です。日本の軍隊では到底考えられないことです。

沙飛は、美穂子ちゃん姉妹の写真を撮るのを見ている人々に向かって、これらの写真は日本に送ればいつか役に立つかもしれないとか、すごいことになるかもしれないと言いました。沙飛はこの写真の持つ歴史的意味を知り、先のことを考えて撮っていたのです。素晴らしい眼力です。果たして、美穂子さんが沙飛の写真が手掛かりとなって発見されると、沙飛が予見したように、その写真は中国と日本で大きな反響を呼び起こし、それを通じて中国人民解放軍や中国人民のヒューマニズムは日本中を驚かせたのです。

しかし沙飛にも後から反省するところがありました。彼はこう言っています。「当時私は生き生きとした写真をある程度撮ったが、検討すればとても満足できなかった。なぜかというと、私はあの名前も知らない勇士の事績、つまり戦場で幼児を見つけ、部隊長の所まで送ったことを具体的に生き生きと記録はしなかったからだ。このことについては、今思い出すとまた残念に思う。今後同じようなことを処理するときに注意すべきだ」(「沙飛」)。沙飛が撮ったのは聶将軍と〝日本の女の子〟が一緒にいる場面とか別れの場面です。名前も知らない勇士が戦場で幼児を救出した場面は写真になっていません。また私たちがこれまで見てきた、言葉の分からない日本の少女を世話したのはわずか17歳の青少年だったとか、農民が2人の少女を籠に入れた天秤棒を担いで、炎天下、一昼夜岩道を歩いたとか、自分の子どもを産んだカアチャンが3人を抱いてオンドルに横たわり、その間に日本人の妹の方に乳を与えたとかなども同様です。この庶民の差し伸べる援助の手を描かなければ、自分たちの子どもや身内を日本人に殺されているなかで、中国の兵士や民衆はどんな思いで〝日本の女の子〟の救出や養育に関わったかを、その気持ちや表情を写し取ることができたのにそれをしなかったと、沙飛は悔やんでいるのです。

沙飛の写した聶将軍と美穂子ちゃんの写真や日本軍にあてた聶将軍の手紙は、「晋察冀日報」(1940年)、在中国日本人反戦同盟晋察冀支部の編集する「解放画報」第2号(日本語・1941年)、沙飛自身が社長となった「晋察冀画報」(英語と中国語・1942年)に掲載されました。それは沙飛自身が投稿したり掲載したものだったり、編集部が掲載したものです。このように、八路軍による〝日本の女の子〟の救出記事は、戦争の中で中国人や日本人の間に広く配布されました。沙飛は既に「広西(グアンシ)日報」(1937年8月)で、「撮影は芸術だが、国の役に立たなければならぬ。激動の時代、文盲が80%を占める状況であればこそ、事態を知らしめるのは写真でなければならぬ。郭沫若(グオルールオ)(かくまつじゃく)も一枚の写真は百万言に勝ると言っているではないか」(『沙飛研究』2号)と書いていました。文字を読める人にとってもそうですが、特に文盲が多い当時の中国では写真は圧倒的な力を発揮したことでしょう。沙飛は聶将軍が敵国の子どもをその陣地に送るのを見て共産党の姿を知り、入党を申し込みました。

なお、この沙飛に悲劇が起こります。1943(昭和18)年12月、日本軍約10万人によるこの解放区の掃討作戦が始まりました。阜平（フピン）県上荘（シャンジャン）の晋察冀画報社の社員は社長の飛沙ともども同月7日夜、八路軍工兵隊に守られて逃れ、9日の朝拍崖（バイヤ）（はくがい）村に着きました。ちょうど朝食の準備を始めたところを約3000人の日本軍に包囲されました。その包囲網を突破する戦闘で、晋察冀画報社の職員9人、八路軍兵士と村民約100人が犠牲になりました。捕らえられた余光文（ユグユアンウェン）鋤好部長の余帳立（ユジャンリ）夫人は乳飲み子を日本軍将校に取り上げられ、周進国（チョウジングオ）さんのまだ幼児にすぎない弟と一緒に、食事の準備で沸騰していた大釜に投げ込まれて殺されました。余夫人自身も日本刀で腕を切り落とされ、乳房と腹を突き刺されて惨殺されました。中国が敵国の美穂子さんたちを命がけで救出したのに対して、日本兵は罪のない中国人の子どもや女性を残虐極まりないやりかたで殺しています。ここには侵略軍と祖国を守ろうとする兵士との道義的違いを見ることができます。

沙飛はネガの入った袋を背負い大雪の中を逃げ回りました。沙飛は普段から「人は必ずネガと共にあれ。1人が倒れたら別の1人が背負え。ネガを決して傷つけるな、失うな」と言っていたのです。沙飛は靴が抜けて雪の中を裸足で逃げ回ったため、両足が凍傷になり、土地の医者からは両足を切断しなければ命がないと宣言されました。しかし沙飛は、「それは絶対駄目だ。カメラマンが続けられないなら生きていかれない」と言い続けました。それを聞いた聶将軍が名医を送り、沙飛は両足を切断しないで済みました。ヒューマンな沙飛の神経は戦場で見た日本兵の蛮行、酷たらしい死体、特に自分もその場にいた拍崖村での惨劇には絶えられませんでした。これ以来沙飛は精神に異常をきたすようになります。それは後、沙飛に悲劇的最期をもたらすこととなります。

この事件が起きたのは1943年12月です。既に見たように同年9月19日、日本軍は4万の兵力をもって、晋察冀辺区の大掃討を開始し、美穂子ちゃん姉妹を助けてくれた村々もその犠牲にしました。地理的に見ても、沙飛が社長をしている晋察冀画報社は河北省阜平県上荘にあって、美穂子ちゃん姉妹が燃えるトーチカの中から救出された井陘炭鉱からも近いです。掃討された同区域内です。それで二つの掃討作戦は同じ作戦内のことだったといえるようにも思われます。

1945（昭和20）年8月15日、アジア太平洋戦争は日本の敗北でもって終わりました。中国では国共内戦を経て、1949年10月1日、中華人民共和国が成立しました。この年の12月15日、沙飛は入院中の石家荘八路軍白求恩（カナダの外科医ベチューンの中国名）国際和平病院で、前述のように、日本人医師を射殺、聶将軍により銃殺されるという事件が起こりました。それから長い年月が経ちました。遺族の再審申し立てによって沙飛は精神病だったことが証明され、1986年、沙飛は36年ぶりに名誉を回復され、党籍回復も行われました。拍崖村の惨劇が沙飛のPTSD（心的外傷後ストレス障害）の起因になったといわれます。強烈なショック体験、強い精神的ストレスが強い恐怖を引き起こしたのです。

沙飛が悲劇的な最期を遂げたことを日中友好協会都城支部が知ったのは、2005（平成17）年8月24日、中国人民対外友好協会ビルで、美穂子さんが沙飛の娘さんの王雁さんから頂いた『沙飛撮影全集』によってでした。都城支部等は沙飛の最期にがく然としました。都城支部等の努力により、津沢勝医師の遺族と沙飛の遺族との間に和解が成立し、2007（平成19）年6月、故津沢勝医師は中華人民解放軍白求恩（ベチューン）国際和平病院から国際友人として国際栄誉賞が贈られました。このような努力があって翌年、日本で初の沙飛写真展の全国巡回が可能になり、２０１０年11月19日、沙飛研究日本の会が結成されました。

＊白求恩は１８９０年生まれのカナダ人医師。１９３０年、八路軍で医療活動に従事中感染症により死亡。

おわりに

２０１０年９月に都城市で「戦争展と漫画展２０１０」が開催されました。同月25日、私は会場で椨美穂子さんとお会いしました。小柄で話しやすい方でした。美穂子さんは三女の留美子さんと一緒でした。美穂子さんは、年齢よりもずっと若く見えました。

いろいろ話をしましたが、一番印象に残ったことがあります。それは前述したことですが、美穂子さんはご両親が中国軍に殺されたと考え、中国人に対しては穏やかな気持ちになれないでいたところへ、今度は、自分が中国人によって救われたことを知り、気持ちの切り替えは大変だったということでした。それはとても衝撃的なことだったのです。

栫美穂子さんと筆者（2010年9月）

①【文献】

・『将軍と孤児　八路軍聶将軍と美穂子の物語』姚遠方編著・田島淳訳　サイマル出版会（1982『将軍と孤児』）

・『悲劇の従軍写真家沙飛がとらえた日中戦争』日本中国　友好協会都城支部発行（2008）長崎印刷

・『聶栄臻元帥生誕110周年　都城市・江津区友好交流10周年記念写真集』日本中国友好協会都城支部・江津区＝都城市友好協会発行（2010『写真集』）

・「戦火の中から救出された少女と真の日中友好〈資料〉」（2010『日中友好』）

・「沙飛」（第2号）沙飛研究日本の会編集・発行（2011『沙飛研究』2号」）

②【映画】

・「――都城と中国　65年の物語――」（2005年）BTVケーブルテレビ会社制作・著作（2006年　第32回日本ケーブル大賞番組コンクールにおいて準グランプリを受賞『帰跡』）

③【ネット】

・「私の父沙飛・2―7」王雁著（『沙飛』）

第二章

南溟に果つる

「世界最初」の特攻隊員

永峰 肇飛行兵曹長の物語

「敷島隊」の５名

はじめに

この章は世界最初の特攻隊員として散った、宮崎市出身の永峰肇（はじめ）の物語です。

「特攻」とは、特別攻撃の略称ですが、とくに75年前の太平洋戦争で、飛行機や飛行艇を操縦してもろとも体当たりするという攻撃を行った日本軍の戦法をいいます。

永峰肇らによる特攻攻撃は6名の隊員からなる「敷島隊」によって決行されたものです。隊員は関行男大尉・隊長（1番機）、中野磐雄（いわお）一等飛行兵曹（2番機）、谷暢夫（のぶお）一等飛行兵曹（3番機）、永峰肇飛行兵長（4番機）、大黒繁男上等飛行兵長（5番機）、山下憲行一等飛行兵曹（途中で引き返す）です。

永峰肇はどのような経緯で「世界最初」の特攻攻撃に加わったのでしょうか。そもそも「特攻」とは何でしょうか。以下、肇の生涯を追いながら、紐といていきましょう。

一、生い立ちとパイロット養成時代

貧しい農家の長男として出生

永峰肇は1925（大正14）年4月1日、宮崎県宮崎郡住吉村（現在は宮崎市）の貧しい農家に生まれました。父親の萬作はいわゆる分家でした。耕作地は1町5反で、本家の隠居所だった藁葺きの平屋を改造した家に、父、母ステ、祖母、肇、福美（3歳下の次男）、重信（三男）、和子（4歳下の長女）の7人で住んでいました。萬作は熱心に農法を工夫、実践する篤農家で、農林省の食糧増産実行共励委員に推されたり、麦や籾（もみ）の品評会で賞を受けたこともある研究心に富んだ人でした。

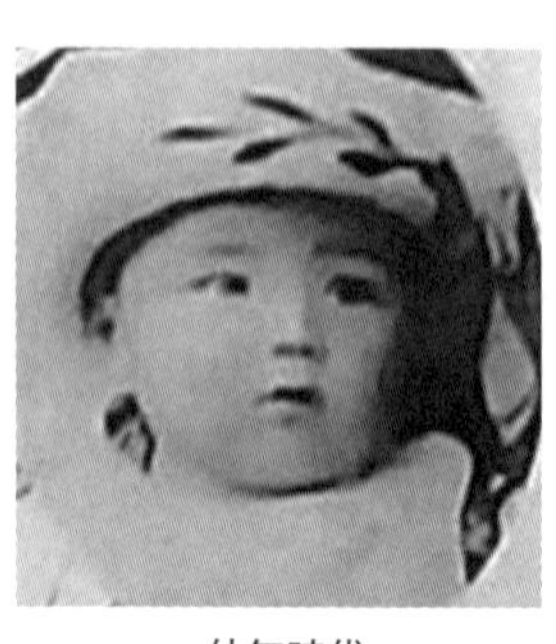

幼年時代

肇は住吉尋常小学校（6年）に入学しましたが、卒業時の成績は43人中7番。続いて高等科（2年）に進みました。敷島隊の特攻死が報道された時、肇の小学校時代の杉松有義訓導（先生）は、少年時代の肇について次のように語っています。

どちらかといへば内向的な性格でしたが、何時もニコニコした子供でした。非常に粘りのある強い性格で体操など自分ができないことがあると一人でかくれて、何時でもできるまで練習をやってゐました。また作業の時間など決してかげひなたなく後始末をよくやる子供でした。（西日本新聞、昭和19年10月30日）（「敷島隊」）

肇はとても頑張り屋の少年だったようです。その性格は軍隊に入ってからも生かされます。

肇は家が貧しいため中学校に進めず、尋常小学校高等科卒業の後は家の農作業の手伝いをしながら青年学校（修養年限4年の本格的な軍事教練を目的とする学校。在郷軍人による指導）に通いました。肇は小学校時代のようにここでも皆勤でした。

当時の男子は満20歳になると兵役の義務がありましたが、志願の場合は満17歳から現役兵になることができました。1941（昭和16）年12月8日に太平洋戦争が始まり、連日連戦連勝が紙面に踊りました。数え歳で17歳になった肇は、「早ういかんと、戦争が終わってしまう！　その前に、お国のために何か役立ちたい」と海軍飛行兵を希望しました。学科試験は数学100点、国語88点で、住吉村の志願者50数名のうち一番でした。合格はしましたが、全国の水準は高く、第二志望の水兵ででした。

肇は1942年5月1日、佐世保第二海兵団に入団することになりました。出発の日、盛大な出征式が行われました。それは「ミッドウェー海戦」（1942年6月5日～7日）の敗北の直前のことでしたが、日本中が「それ行け、やれ行け」の気分が充ち満ちていて、歓呼の声に送られて出征しました（敗戦が濃厚になった時には大勢での見送りは禁止となり、家族だけがひっそりと見送りました）。肇は一家揃って八幡神社（現宮崎八幡宮）にお参りして戦勝を祈願し、宮崎駅を発ちました。

佐世保第二海兵団に入団し、予科練志願

佐世保第二海兵団では最下級の四等水兵で、配属は第26分隊でした。肇はそこに3カ月いました。教班長の本田多義伍長は父親の萬作に肇の消息をこう伝えています。

……今回御賢息子肇殿小生の教班に編入以来、日夜奮闘の結果抜群の成績を以って修業せられ、第一線部隊配乗（乗り込むべき船員の割り当てや配置）の栄を得られました事は同慶に堪へません。

配乗後も現在の心理（ママ）を以つて御奉公されたなら、一つとして心配なき事と思ひます。どうか今後共に家庭より激励の手紙を出して一層緊張（ママ）される様お願い致します。（『敷島隊』）

これを読むと、肇は海兵団においてもその賢明さが目立ち、またこれまでもそうであったように真面目に勤務に邁進していることが分かります。

教班長の手紙に「第一線部隊配乗の栄」とあるように、肇は佐世保第二海兵団での3カ月の教科を終えるとともに、1942（昭和17）年8月10日をもって駆逐艦「初春」に三等水兵として乗艦することになりました。肇は水雷戦隊に属し、主にアリューシャン方面で、潜水艦掃蕩に当たりました。同年10月17日、米軍機の攻撃と荒天により大破損を受け、11月6日、修理のため舞鶴軍港に入りました。

なお、肇が佐世保第二海兵団を去った1カ月半後の翌年1月10日、敷島隊の五番機大黒繁男もこの佐世保第二海兵団に入隊してきて、3カ月間留まりました。その後大黒は丙種予科練十七期生として岩国航空隊へ4カ月配属され、同年7月から翌年3月まで飛行教育を受けました。

肇は飛行搭乗員養成制度の予科練に転科を志願します。飛行兵になるには、「敷島隊」の関隊長のように海軍兵学校に入って士官搭乗員になる道と、いわゆる予科練に入って飛行兵になる道の二つがありました。肇は予科練への道を歩みます。

「予科練」とは「海軍飛行予科練習生」の略称です。航空兵力の拡充のため、「将来、航空特務士官たるべき素地を与ふるを主眼」として、1930（昭和5）年に創設された日本海軍の練習生制度で、霞ヶ浦飛行場（茨城県）に置かれました。中学校第4学年終了程度の者から採用する甲種、高等小学校卒業程度の者から採用する乙種、海軍下士官から採用する丙種の3種がありました。甲種、乙種はともに15歳から20歳までの青年に開かれていて、丙種は23歳までなることができました。

予科練の制服には海軍の象徴である桜と錨が描かれ、7個のボタンが付いていました。この「七つボタン」は予科練の象徴となりました。予科練は若者の憧れとなり、今でもよく知られる予科練の歌「荒鷲の歌」までできました（歌・霧島昇　作詞・西條八十　作曲・古関裕而）。

若い血潮の　予科練の　七つボタンは　桜に錨
今日も飛ぶ飛ぶ　霞ヶ浦にゃ　でっかい希望の　雲が湧く…

ビシッと制服を決めた予科練生を見ると、若い女性は駆け寄って握手を求めました。若者はそれを見て、「俺も絶対に〝七つボタン〟になるぞ」と誓ったものです。

予科練の教育期間は3年間（甲種は1年2カ月）で、教育内容は普通学（12科目）・軍事学（9科目）・体育（10種目）の他、精神講話などもありました。予科練終了後は約1年間、練習航空隊で飛行戦技の教育を受け、海軍二等飛行兵から海軍飛行兵長に昇格して終了し、実戦部隊に配備されました。彼らは下士官として海軍飛行兵の中心的存在となりました。戦争中には大規模に募集され、太平洋戦争末期には特攻攻撃に動員されました。練習航空隊としては最初の茨城県土浦の霞ヶ浦航空隊が有名で、その名は予科練の代名詞となりました。戦局の進行とともに予科練（予科練航空隊）は全国に新設され、霞ヶ浦航空隊（後に土浦航空隊）の他に岩国海軍航空隊、三重海軍航空隊、鹿児島海軍航空隊などがつくられ、最終的には19カ所につくられました。教育期間は終戦直前になると1年8カ月に、甲飛（甲種飛行予科練習生）の教育期間も当初の1年2カ月から6カ月に短縮されました。敗戦間際には飛べる飛行機も少なくなり、基地や防空壕の建設などにまわされ土方仕事ばかりさせられたので、予科練は「どかれん」と呼ばれたりしました。敗戦までの15年間で約24万人が入隊し、約1万9千人が戦死しました。

予科練の制服を着用した永峰肇

肇は一般海軍兵からの志願です。学科試験に合格した後には、ペーパーによる心理テスト、近点距離、反射神経、操縦動作、転倒反応、視野測定、体力測定などが次々と行われました。肇は合格し「丙飛15期生」となりました。志願者は志願した段階から「海兵隊の裏切り者」として志願しなかった者からリンチに遭っていました。不合格者は海兵隊に戻されたので、彼らにはよりひどいリンチが加えられたことは言うまでもありません。

三重海軍航空隊時代〈1942（昭和17）年12月1日〜翌年3月末〉

1942（昭和17）年12月1日、肇たち631名は丙種飛行予科練習生、いわゆる「丙飛」15期生として胸を張って三重海軍航空隊に入隊しました。ここは予科練航空隊の教育の場でした。三重海軍航空隊は津市から伊勢湾沿いに南下した香良洲（からす）にありました。司令は内田一太郎大佐で、副長は軍歌「月月火水木金金」の作詞者で知られる高橋俊策中佐でした。三重航空隊には4部隊があり、

3部隊が操縦部隊で、1部隊が偵察部隊でした。肇は適性検査で操縦部隊に入り、第93部隊第1班に配属されました。第1班は教員・教員助手を除いて24名でした。

予科練はそもそも飛行搭乗員養成のための基礎教育の場で、修業期間は甲飛は1年間、乙飛は2年間でしたが、丙飛は3カ月でした。下士官搭乗員が不足していたので、肇たち丙飛練習生は、一般海軍教育は海兵団で済んだとみなされたのです。肇たちは4カ月間、カッター訓練（オールを使って大勢で漕ぐ訓練用ボート）を行い、武技を鍛え、一般教養と実務を座学で学びました。

土曜日の午後は軍歌演習でした。海軍は日露戦争勝利後、日曜日抜きで猛訓練を行っていました。海の男の力で日本軍艦が雄々しく太平洋を進むさまを、肇たちの副長高橋俊策海軍中佐が「月月火水木金金」として作詞し、海軍軍楽隊出身の江口源吾（江口夜詩）が作曲したのです。1940年（昭和15年）11月には、ポリドール・レコードから発売されました。肇たちは大声をあげて「月月火水木金金」を歌いました。

朝だ夜明だ潮の息吹き
うんと吸い込むあかがね色の
胸に若さの漲（みなぎ）る誇り
海の男の艦隊勤務
　月月火水木金金

赤い太陽に流れる汗を
拭いてにっこり大砲手入れ
太平洋の波、波、波に
海の男だ艦隊勤務
　月月火水木金金

就寝時間に入ると、ハンモックから外に抜け出ていく者が20～30人いました。昼の体技訓練がうまくできなかった者たちで、月明かりの中で特訓しました。その中に肇もいて、彼は棒高跳びの訓練に励みました。肇は身長160センチメートルほどの中肉中背で、体力にはそれほど恵まれているとは言えませんでした。それで不得意な技があると、何としても克服しようと努力していたのです。

軍隊ではどこでも「罰直（ばっちょく）」（違法行為に対して即時に適用される罰を「直罰」と言いました。それをひっくり返して「罰直」と言うと、何か違った感じになるので好んで使われたようです）という大変な「制裁」「シゴキ」が横行しました。パイロット養成所もまったく同じです。指導者（教官、教員）、階級が上の者、階級が同じでも古参兵は下の者に対してビンタ、鉄拳、互いに殴り合わせる「対抗ビンタ」「前支え」（腕立て伏せの身体を上に上げた状態を維持させる）は序の口で、全員を立たせてバットや樫の棒、大きなシャモジ、消防用ホースの金属製の筒先などを逆に握って尻を叩きました

（「バッター罰直」）。尾てい骨が折れたり、中には死んだ者までいました。

また同期生が厳罰を受けると、仲間から「貴様たちのおかげで罰を喰らった」と殴打を受けることもありました。さらに飯上げ、自分のハンモックを吊り上げさせたり（「吊り床上げ」）下ろさせたり（「吊り床下ろせ」）と、無意味な作業を何十回も繰り返させたり、食事の準備のできたテーブルを長時間腕で持ち上げさせました。

丙飛は階級や〝メシの数〟がさまざまなので、居住区に戻っても制裁が横行し、安心できるのは眠った時だけでした。多くの者は自分が下級の時にやられたので、上級者になったら下級者をしごいて意趣返しをしました。下級時にひどくやられた者ほど、そのしごきは激しかったといわれます。なお、制裁は基本的には報復でしたが、弾丸が雨と降る中で冷静に戦うことができたのは、あの連日のビンタや鉄拳があったればこそだという戦争経験者もいます。

しかし同期生たちは、肇は階級が上になっても制裁を加えることなどはせず、先輩風を吹かせることもなかった、反対に難癖をつけられている同期生を助けたという爽やかな記憶を持っています。肇は目の大きい、キビキビした自由闊達な九州人で、カラッと明るく、目の光は強い意志を表していましたが、笑うと子どものように無邪気な顔になりました。

なお、後に「敷島隊員」として一緒に特攻死する「甲飛」10期生の中野磐雄もここで訓練を受けていましたが、居住区が別だったので、ここで互いに知り合いになることはなかったようです。

3月末、練習生の機種別選考が行われ、肇や青柳茂らは谷田部航空隊となりました。

谷田部航空隊時代〔1943（昭和18）年3月27日～10月30日〕

谷田部航空隊は茨城県南部、筑波山沿いの台地にありました。1943（昭和18年）3月26日、肇たち丙飛15期生の乗った常磐線の列車に通勤の女学生の一団が乗車してきて、肇たちはまだ一度も飛行機に乗ったことはありませんが、その予科練の〝飛行機乗り〟に目を輝かせました。列車が土浦駅に着き、〝飛行機乗り〟が下車すると、女学生は列車の窓という窓から顔を出し、「兵隊さん、頑張って！」と手を振りました。肇たち丙飛15期生も手を振って応えました。

しかしこの束の間の青春を見て目をねばっこく光らせている者がいました。肇たち70名は、そこから迎えのトラックに乗って谷田部航空隊の門をくぐりましたが、その夜、「女とデレデレして、その腐った根性をたたき直してやる」と70名全員、教官たちから尻に容赦のない〝バッター〟をかまされました。「鬼の谷田部」の第1日目でした。

肇たちは谷田部海軍航空隊「第31期飛行練習生」となりました。軍隊はどこでもそうですが、ここでも、たくさんの飛行服、飛行靴が積まれている中から競争で自分のサイズに合うものを探します。そして見つからなかった者は「服に身体を合わせろ！」と言われます。

70名の練習生は6班に分けられ、肇は第三班に配属されました。各班は10～12名で、班長（教員）と教員助手がそれぞれ半数ずつを担当しました。練習生はこの半数をグループとして常に行動をともにします。肇たちは5名でした。居住兵舎でもこの5名は一緒に寝起きします。同じ九州出身の青柳茂もこのグループで、肇は青柳とハンモックが隣り合わせでした。班長は南方第一線から転勤してきた山村弘光兵曹で、「戦場では見張りが第一、それを怠って死んだ奴をたくさん見てきた」と言い、飛行訓練の時、見張りを怠ると伝声管で頭を殴りつけられました。青柳は、生きのびることができたのはこの山村兵曹のおかげだったと言っています。

谷田部航空隊にきて、肇は初めて待望の飛行機の操縦桿を握りました。海軍飛行兵を希望しましたが、水兵の方に廻されてがっかりしていたところ、ようやく10カ月後、念願の操縦桿を握ることができたのです。

飛行場には１８００メートルの滑走路が走り、雄大な筑波山の裾野が開けていました。操縦中に「筑波山宣候（ようそろ）」と言われると、筑波山目がけて直進しました。標高８７６メートルの筑波山が迫り、眼下に散らばる町々が見えました。毎週試験があり、成績が悪いと原隊に返されることがあります。肇たちは丙飛15期生といっても身分は「海軍一等水兵」で、「海軍一等飛行兵」に転科するのは卒業してからです。それで就寝の時間になっても、肇はもちろんみんなはハンモックの中で、あるいは常夜灯の光の下で勉強しました。

最初はグライダー訓練、次いで九三式中間練習機（いわゆる「赤トンボ」）に乗り、教官と一緒の慣熟飛行→教官を後ろに乗せた最も難しい６週間の離着陸同乗訓練→単独飛行→特殊飛行（宙返り、垂直旋回、上昇反転、宙返り反転、横転、緩横転、背面飛行、錐もみ……）へ、次いで特殊飛行単独飛行から編隊飛行訓練へ、夜間飛行、計器、航法訓練、互乗訓練（訓練生同士）へと進みます。

谷田部海軍航空隊時代の肇が写った写真があります。前方に座っているのは教官と教官助手。その後ろに5名の丙飛15期生が並んでいて、肇は右から2番目です。左端は九州出身の同期生青柳茂。肇をはじめとしてみんなから強い意志が伝わってきます。飛行機は九三式中間練習機（「中練」）で、いわゆる「赤トンボ」と呼ばれたものです。

谷田部海軍航空隊での中練時代。「赤トンボ」教育を終了した頃（肇は後列右から２人目）

肇は真面目で運動神経もよく、グループ5名のうち単独飛行も特殊飛行も一番乗りでした。教官同乗の訓練は1日20～30分でした。操縦がうまくいかないと、ここでも総員〝バッター〟や、炎天下で冬服の飛行服を着けたまま飛行場1周（6・2キロメートル）等の罰則、また「吊り床上げろ、吊り床下ろせ」の釣り床訓練が待っていました。

予科練の第2学年になると、水兵服は憧れの「七ツ釦（ボタン）」へ変わりました。短剣はまだ与えられませんでしたが、外出先から「検閲済」の印判なしの私信を出すことができました。この谷田部海軍航空隊時代に、日曜日には外出を許されたときもありました。このとき肇たちは家族に偽名で検閲のない手紙を自由に送りました。

謹啓　永らくの間御無沙汰致しましたが其後父上様にはお変わりなくお元気にてお暮らしの事と存じます。

不肖私も元気にて軍務に精励致し居りますれば他事乍らご放念下さい。航空隊では毎食牛乳とか卵とか毎日食って居ますが其の反面又きつい猛訓練が行はれます。私も男です。必ずこの苦しみをつきぬいて行きます。今は毎日飛行の練習です。空をとぶのはゆくわい（愉快）なものです。それから福美はどうでしたかお知らせ下さい。又重信にもよく勉強する様お伝への程。それから今日少し菓子を送ります故お受け取り下さい。こんな事はあまり喋らないで下さい。お願ひします。

先づは乱筆にて御報知まで　　敬具

父上様　外御一同様　　肇

肇は、「今は毎日飛行の練習です。空をとぶのはゆくわい（愉快）なものです」と書いてきています。この短い文章から、「空を飛ぶ」ことの若者らしい喜びがあふれ出ています。肇が「飛行兵」を強く希望したのは、この空への憧れだったのです。最初は飛行兵を志望しながら水兵に廻されてがっかりしましたが、持ち前の根性で諦めず予科練の試験を受けて合格し見事、飛行機乗りになったのです。また「きつい猛訓練が行はれます。私も男です。必ずこの苦しみをつきぬいて行きます」と書かれています。肇は困難に音を上げない頑張り屋です。軍隊は大変な「制裁」が横行する世界でしたが、親の胸にすがりたい気持ちはあっても、ぐっとこらえてひと言も触れませんでした。肇はまた、「航空隊では毎食牛乳とか卵とか毎日食って居ます」とも書いています。若者らしくそれを喜ぶとともに、また親を安心させたかったのでしょう。

肇は本当に弟妹思いで、よくお菓子を送っていますが、田舎ではきっと手に入らないようなもので、特に小さな重信や和子は喜んだことでしょう。その姿が目に見えるようです。検閲を通した決まり文句の手紙とは違って本当に伸び伸びとした手紙です。もう一通見てみましょう。

拝啓　しばらくの間御無沙汰致しましたが其後お前には変わりなく元気にて毎日役場に勤めて居る由、僕も安心致しました。重信も毎日学校に通って居るとの事、あの可愛(かわいい)重信の通学姿が目前に浮かんで参ります。又、和子も随分大きくなった事でしょう。先日、帰郷した時の事が思い出されます。御両親も元気に御働きの事と存じます。僕も毎日元気でやって居る。心配せず頑張れ。

それからね、一つお願いがあるんだがね。俺が入団前に買って居た写真帳があったら、すまないけれども大至急お送り下さい。お願いする。昔の事が思い出されてならぬ。此処は田舎町で何の慰安(いあん)もないから、これでも眺めて少しでも慰安になると思うのだ。それからお前の写真等があったら同封して送って呉れ（みんなのもね）。で俺も来年の正月頃は休暇があるかも分からないからね。其の時又、持って帰るからね。

では、今日はこれにて失礼する。先づは乱筆にてお願いまで。

肇より　弟へ

肇はとても弟妹思いのいい兄でした。手紙を書くたびに、まだ幼い重信や和子のことを可愛い可愛いと書いています。「可愛重信の通学姿が目前に浮かんで参ります」。「和子も可愛い顔をして毎日遊んで居る事と思います」。

肇がとても愛していた末っ子の重信さんを、筆者は２０１２（平成24）年７月、宮崎市新名爪に訪ねました。肇から「あの可愛重信の通学姿が目前に浮かんで参ります」と書かれた重信さんでしたが、兄の肇とは年齢に大きな差があり、兄のことは残念ながらまったく記憶にないようです。しかし後に見るように、兄の肇について愛に満ちた文章をつづっています。

谷田部航空隊における「赤トンボ」での初歩教程は７カ月で、その後機種別に分かれた新しい航空隊での実用機訓練となります。肇は徳島海軍航空隊に配置されました。この頃、敷島隊の隊長となる海軍兵学校の関行男は霞ヶ浦航空隊の飛行学生で「赤トンボ」の初歩教育を受けており、谷暢夫と中野磐雄の甲飛10期生は予科練の第２学年でした。

徳島航空隊時代〈１９４３（昭和18）年11月～翌年１月〉

肇たちは谷田部航空隊で「赤トンボ」での初歩教程を終えた後、1943（昭和18）年11月1日、徳島海軍航空隊に着き、実用機訓練（戦闘機専修）に入ります。肇はここでもまた青柳茂と一緒で同じ分隊になることができ、よく話しました。肇たちが着いた2日後、甲飛10期生の中野磐雄と谷暢夫もこの門をくぐりました。谷は千歳航空隊から徳島航空隊へ移動の途中、母親が岐阜駅から乗り込んできて神戸駅まで話すことができました。彼はこれから本物の飛行機に乗るのだからマフラーが欲しいと言いました。中野は三沢航空隊から東北本線で徳島航空隊へ向かう途中、福島駅を通りながらも太平洋岸の原町に住む両親には会えませんでした（1年後に、肇は中野や谷にフィリピンのマバラカット基地で出会い、敷島隊隊員として共に特攻死するのですが、そのことは誰もまだ知りません）。

彼らはここで離着陸、特殊飛行、宙返り、横転、緩横転、垂直旋回、背面飛行、編隊訓練、大編隊訓練、射撃訓練、追躡（ついじょう）攻撃（退く敵に対する追跡攻撃）などの訓練を受けました。「鬼の谷田部」「地獄の徳島」と言われたように、ここでの訓練と「制裁」は激しいものでした。練習機はいきなり練習用九六艦戦や零（ゼロ）戦でした。九六艦戦は脚が弱く着陸は大変でした。失敗して飛行機を破損しようものなら、教員たちの凄まじい「バッター罰直」（2名の隊員が11名の教員から1人につき5発ずつ、計55発）が待っていました。すべて連隊責任です。肇の班でも期長が班長に目の敵にされ、天井の梁にぶら下げられて殴られました。肛門の筋肉が弛緩して便が流れ出ても、バットでの殴打は続きました。バットの直撃で尾てい骨が折れて除隊となり、一生腰が曲がったままになった人もいます。

教員たちがこれほどひどい罰直を加えるようになったのには理由があります。肇たちが体験した谷田部航空隊、徳島航空隊における飛練時代は米軍の大反攻が始まった時期です。前年1942年5月からの「ミッドウェー海戦」「ガダルカナル島の戦い」につづく米軍によるニューギニア侵攻（1942〜44年）で、太平洋戦争における攻守はすでに転換していました。教員はこの戦いを経験して日米間の戦力の差を知った者が多く、この米軍に勝つためにはパイロットの短期養成と大量養成しかないと考え、訓練も制裁もとても激しくなったのです。甲飛10期生などは実用機訓練期間をわずか22日間に短縮されました。甲飛10期生の谷暢夫、中野磐雄は1944年1月には徳島空港から姿を消しました。松山基地に配備された谷はグアム島、中野は九州笠ノ原基地から台湾新竹（シンジュー）の戦場へ配備されました。

1943年9月20日、肇らは徳島海軍航空隊（戦闘機専修）を終えます。予科練の訓練は入隊するコースや年代によってさまざまです。

この頃でしょうか、肇が父親へ送った手紙を見てみましょう。

拝啓　永らくの間御無沙汰致しましたが其後父上様には御変わりなく御元気にてお暮しの事と存じます。私も相変らず元気で頑張って居ます故御安心下さい。内地も農繁期も終り「ホット」一息された事でしょう。弟も近い内に入隊するとの由（よし）、入る所も近くなって結構です。呉々（くれぐれ）も勉強して入隊後も頑張る様お伝えください。それから力士君と戸敷君が名誉の戦死をした由、大変驚きました。父上様よりもよろしく御伝え下さい。手紙も出して置きます故何卒（なにとぞ）よろしく。

お互いに励まし合って頑張って下さい。お願い致します。先日お送り致しました金は届いたでしょうか。若し届いたなら御知らせ下さい。それから、これから毎月少し宛送金する事に致しました。甚だ僅少ですが弟達の小遣いにでもして下さい。

今度はお願いですが家に古雑誌でもあったらお送り下さい。呉々も御願い致します。戦地の何の慰安もない所では雑誌が唯一の慰安です。何卒よろしく。

御近所の皆様にもよろしく御伝え下さい。

私もこの情勢下の海軍軍人の一員として一死報国以て君恩に報いる覚悟です。申し遅れましたが重信も元気で通学致し居る事でしょう。又、和子も可愛い顔をして毎日遊んで居る事と思います。何時も弟や妹等の事が偲ばれてなりません。何卒元気に育ててやって下さい。

いろいろと書き度い事はありますが今日はこれにて失礼致します。

暑さ酷しき折柄呉々御身体を大切に

敬具

父上様

肇 拝

次男の福美は最初役場に勤めていましたが、軍人になる道を選び、丙種予科練を受け合格しました。前便にあった「福美はどうでしたか」とはこのことです。肇は、「弟も近い内に入隊するとの由、入る所も近くなって結構です」と書き、「呉々も勉強して入隊後も頑張る様」と励ましています（この弟の福美は戦後若くして亡くなってしまいます）。しかし肇は心の許せる青柳茂によく、自分は念願の飛行機乗りになって嬉しいが、弟も近く予科練を志願するようで、そうすると家に働き手がなくなり、両親だけで農家をやっていけるのだろうかと語っていたそうです。

肇はとても優しい人物で、老父母だけが畑で働くことになるのをとても案じています。「これから毎月少し宛送金する事に致しました。甚だ僅少ですが弟達の小遣いにでもして下さい」と、毎月もらう多くはない給与の中から貧しい両親に送金しているのです。本当に親思いの息子です。彼はまた、古雑誌でもいいから送ってくださいと言っています。頭脳明晰な肇のことですから本に飢えているのでしょう。しかしそこは軍隊です。まともな読み物は置けないのかもしれません。

両親の方は読み書きができませんでした。最初は読み書きのできる人に助けてもらって返事を書きましたが、そう何度も頼めず、肇が受け取る返事は次第に少なくなっていきました。

一方肇は、情勢が悪化していて自分たちの出撃も近づいているのを感じているのでしょう、「私もこの情勢下の海軍軍人の一員として一死報国以て君恩に報いる覚悟です」と覚悟のほどを見せています。飛行機乗りの息子が戦地に行くことに対して、両親はどんな気持ちだったでしょう。特攻隊員として米空母に体当たりする運命が口を大きく開けて、彼を待っています。

肇は徳島海軍航空隊での訓練を終え、海軍上等飛行兵の辞令を受けて1944（昭和19）年1月27日築城（ついき）航空隊へ、2月11日には南方方面へと派遣されます。千葉県の木更津基地、フィリピン南端部のダバオ基地での訓練を経て、谷暢夫と同じ戦闘三〇五飛行隊に配属されます。

二、神風特別攻撃隊の創設へ

敗退を重ねる日本軍

1941(昭和16)年12月8日、真珠湾攻撃をもって太平洋戦争を始めた日本は、太平洋を南回りで進撃して、ハワイを占領し、そこからアメリカ本土を攻略するという壮大な展望をもっていました。それには南海の諸島を次々と占領することが重要でした。

しかし早くも開戦から半年後の1942年6月、日米間最大の激突となる「ミッドウェー海戦」がありました(ミッドウェーはハワイ西北にある島)。優勢と思われていた日本海軍は暗号を解読され、レーダーを持った米国の機動部隊に叩かれ、主力空母部隊(航空母艦4隻とその艦載機)を一挙に失い、日本海軍機動部隊の中枢は壊滅しました。引き続いて同年8~12月の「ガダルカナル島の戦い」でも敗北しました(ガダルカナル島はソロモン諸島にある島)。

ガダルカナル島での敗北・撤退はミッドウェー海戦とともに太平洋戦争における攻守の転換点となりました。それで1943年9月30日、御前会議で、これ以上失ってはいけないという理由からマリアナ諸島、西カロリン諸島、ニューギニア北西部のラインを「絶対国防圏」として死守することを決めました。

翌1944年になると米軍は太平洋戦線において本格的な日本攻勢を開始しました。米軍は2大進行作戦を取りました。一つはニミッツ提督による海軍のハワイ→中部太平洋→マリアナのラインです。マリアナ諸島はマリアナ海溝の西側に沿って南北約800キロメートルに及ぶ約15の島々から成り、中程にサイパン島、テニアン島、グアム島が位置し、西太平洋の要で、そこから直接日本本土を空爆できます。それが狙いです。もう一つはマッカーサー大将による陸軍のオーストラリア→ニューギニア→フィリピンのラインです。これは永峰肇たち特攻隊の命運と直接関わるラインです。

同年6月19〜20日、「マリアナ沖海戦」があり、日本海軍はサイパン島（6月15日〜7月9日）、隣島のテニアン島（7月24日〜8月2日）、グアム島（7月21〜28日）を次々と失い、稼働状態の空母機動部隊（大鳳、翔鶴、飛鷹）をすべて失うという未曾有の大敗北を蒙りました。機動部隊とは軍隊の部隊や兵器を迅速に展開させたり行動を起こせる部隊のことで、海軍では航空母艦を中心に巡洋艦、駆逐艦で編制された部隊です。これ以降、日本海軍は機動部隊としての力をなくしてしまいます。日本の「絶対国防圏」はここに崩れ、米軍はサイパン島から直接日本本土を空襲できるようになりました。また米軍は、サイパン島から日本本土のみならずフィリピンをも直接攻撃できるようになりました。

日本軍が容易に壊滅させられた原因は米軍の物量作戦にあるだけでなく、米軍の侵攻の早さにもありました。米機動部隊は日本が予測していたよりも2カ月も早くやってきました。日本は「絶対国防圏」などと仰々しいものを決めますが、現実には燃料、物資不足のなかで艦船、飛行機、基地建設など戦争の準備が整わぬ間に米軍の来襲を受け叩かれてしまうのです。また日本軍の基地が重要拠点で強固な備えができているためなかなか陥落しないとなると、米軍はそこを捨てて、次の戦場へ向かいます。これは「飛び石作戦」とか「カエル跳び作戦」とか言われる作戦で、ラバウルなども戦場の後方に取り残された一つです。1944（昭和19）年春までに12万5千人の日本軍守備隊が戦場の後方に取り残される憂き目に遭いました。日本の「絶対国防圏」が破られると、東條英機は内閣総理大臣を総辞職し、直接アメリカ本土を攻撃する、エンジンが6発の超大型戦略爆撃機「富嶽（ふがく）」の製造研究も中止することとなりました。

マリアナ沖海戦に敗れて、サイパン、グアムなどを失い「絶対国防圏」の一角が崩れた結果、日本はその後方の地域に最終的決戦場を求めざるをえなくなり、同年7月26日に、大本営は「捷号（しょうごう）作戦」（「捷」＝「戦いに勝つ」の意）を決定しました。予想される敵の進攻を4方面に想定し、それぞれに「捷号」の名を冠しました。敵がフィリピンに来攻する場合が「捷1号」、台湾、南西諸島の場合が「捷2号」、九州、四国、本州、小笠原諸島方面が「捷3号」、北海道、千島列島が「捷4号」です。これは4方面の防衛を強化すると同時に、そのいずれかの地域に米軍が攻めてきた場合、そこに陸海空の全戦力を結集して決戦を行おうというものです。

同年10月、予言したようにマッカーサーがフィリピンに帰ってきました。既に述べたように米軍は二手に分かれて南西諸島の日本軍に迫りました。一手はニミッツ提督率いる大機動部隊で、西太平洋の要のサイパン島などを獲得しました。もう一つはマッカーサー大将率いる機動部隊で、目標はフィリピンです。アメリカは1899年の米西戦争で勝利してからフィリピンを支配してレイテ島（レイテ湾）を基地として使用してきましたが、太平洋戦争初期に日本軍に奪われてしまいます。その時ダグラス・A・マッカーサーは、「アイ・シャル・リターン（私は戻ってくる）」と宣言しました。そのとおりにマッカーサーはレイテ湾を奪還するために戻ってきました。

それに合わせて「捷1号作戦」が発動されました。日本軍はやっとの思いで再建した機動部隊をマリアナ沖海戦で壊滅させられ、海軍にはもはや航空機は残っておらず、水上艦による艦隊決戦を強いられました。さらに残りの重油・ガソリンは半年ももたなくなり、長期的に戦える展望はまったくありません。フィリピンでの決戦場は「レイテ沖会戦」（アメリカでは「フィリピン会戦」）です。日本はここで勝利することによって7対3ほどの有利な講和条約を結ぼうと考えていたようです。

日本は懸命に艦船、飛行機を集めました。その時の日米の戦力を見てみましょう。

日本＝航空母艦4、戦艦9、重巡洋艦13、軽巡洋艦6他、駆逐艦34、航空機（基地航空隊）約270機。

アメリカ（第七艦隊）＝航空母艦（鋼鉄製の甲板）17、護衛空母（木製の甲板）18、戦艦12、重巡洋艦11、軽巡洋艦15、駆逐艦141、航空機は数知れず。

この時代、戦争で一番重要なのは航空母艦と航空機です。日本は航空母艦を4隻集めましたが、その航空母艦には航空機はなく、地上の航空隊基地に航空機が約270機あるだけでした。それに対して、アメリカは航空母艦17と護衛空母18の35隻、航空機は数知れず。これを見ただけで戦力の差は歴然としています。このアメリカ軍空母機動部隊の第七艦隊がフィリピン目指して押し寄せてきました。

日本の戦力は極めて弱小です。空母も戦艦も飛行機も少なく、何よりも燃料が不足のため艦隊は長時間戦うことに耐えられず、航空機も長時間飛べず、熟練パイロットを養成するだけの燃料さえありません。パイロットは空中戦では垂直旋回、失速反転、宙返りなどを自由自在にできなければならないのですが、着艦能力もなく、なんとか「単独飛行」ができる程度になったパイロットが送られてきていました。米軍はレーダーで日本機の接近を知るのに、日本側は索敵機を四方に飛ばして米機動部隊の存在を空から確認し、飛んで帰って司令部に知らせるのです。しかしその索敵機も、米軍のレーダーにキャッチされて全機が撃ち落とされてしまう場合も少なくありません。また飛行編隊同士が空中で戦うときでも米軍は互いに無線で連絡し合いますが、日本軍は手信号での確認しかなく、天候不順になると互いに連絡することすらできなくなってしまいます。貯蓄燃料が不足した日本には戦いを続ける時間は限られています。この頃日本国内では、国民はガソリンに代わって航空機用燃料にする松根油づくりに駆り立てられていました。

この状況を見ると、戦局はすでに決し、日本が勝つ見込みはまったくなくなっています。この時点で取るべき選択肢は、戦争終結に向けた交渉を始める以外にありませんでした。それにもかかわらず軍政府は、大西瀧治郎中将が「統率の外道」と呼んだ特攻作戦にはまり込んでしまいます。

大西中将と「神風」

米軍がフィリピンに迫ってくるなかで、天皇から伏見宮に引き継がれた元帥会議は「特殊兵器」を考えなければならなくなりました。「特殊兵器」は陸軍、海軍、それぞれに準備・実践されてきました。体当たり船艇「震洋」、人間魚雷「回転」、個人的な「特攻攻撃」、人間爆弾「桜花」などです。その中の「桜花」はなかなか奇抜です。機首部に大型の徹甲爆弾を搭載したロケット推進の体当たり機で、パイロットによって操縦されます。これは母機の下部に吊るされて運ばれ、戦場に着くと母機から切り離されてパイロットが操縦して敵艦に体当たりするというものです。こうすると母機は壊さないで済みます。これまでは陸軍、海軍が別々に取り組んでいましたが、これからは国家的事業として総力をあげて取り組むことになりました。この「特攻隊・人間爆弾」は兵士の命と引き替えにするものなので、「天皇の裁可」は仰がないことにしました。

海軍では、敷島隊が出撃する3カ月も前の1944（昭和19）年7月に、「特攻兵器」の整備と人員の整備を始めていました。そして9月に「特攻」は海軍中央で正式決定されました。第一航空隊艦隊司令官大西瀧治郎中将が特攻隊の発案です。大西中将は最初、搭乗員に爆弾を抱えた零戦もろとも敵空母に突っ込ませるこの戦法を「統率の外道」と呼びました。しかし、「死中に活を求める」方法はこれしかないと考え直しました。この問題について見てみましょう。

同年10月17日、マッカーサー軍の先鋒部隊がフィリピンのレイテ湾口スルアン島（次ページの地図参照）に上陸しました。翌18日17時、大本営はフィリピン防衛のために「捷1号作戦」を発動し、日本はレイテ湾攻撃に南方兵力のほぼすべてを投じることを決定しました。間もなくレイテ湾は米軍の734隻の艦船と上陸部隊20万によって抑えられました。

日本側は次のような作戦を立てました。大和、武蔵の巨艦を有する栗田健男艦隊（戦艦5、重巡10、軽巡2、駆逐艦15）は22日にボルネオ北端のブルネイ泊地を出て、25日未明、フィリピンの北東からレイテ湾内に突入する。同様にブルネイを出た西村艦隊と台湾から来た志摩艦隊は南のスリガオ海峡からレイテ湾に入る。栗田艦隊は2艦隊と相呼応して、レイテ湾内の米国輸送船団を壊滅させ、新たに入ってくるマッカーサーの米軍機動部隊を叩き潰す。しかしその前に、日本最後の正規空母である「瑞鶴（ずいかく）」を持つ小沢治三郎艦隊（空母4、戦艦2、軽巡3、駆逐艦8）が囮（おとり）となって、ハルゼー大将指揮の米最強の空母群（ハルゼー機動部隊第38任務部隊・第3艦隊）をレイテ湾内からおびき出し、できるだけ北方に導いておく。

しかし前述のごとく、連合艦隊の主力空母はマリアナ海域での戦いで壊滅的な打撃を受けたので、残った空母も少なく、その空母には艦載機がありません。そのため陸上基地の航空兵力「特攻隊」が日本の艦隊を空から助け、あるいは米空母部隊の飛行甲板を叩くことで一週間ほどでも空母の活動を抑止させ、その間に西村艦隊などが湾内の米国輸送船団や入ってくるアメリカの大機動部隊を壊滅する――これが「捷1号作戦」といわれる戦略で、日米の戦いの関ヶ原です。日本軍がここで

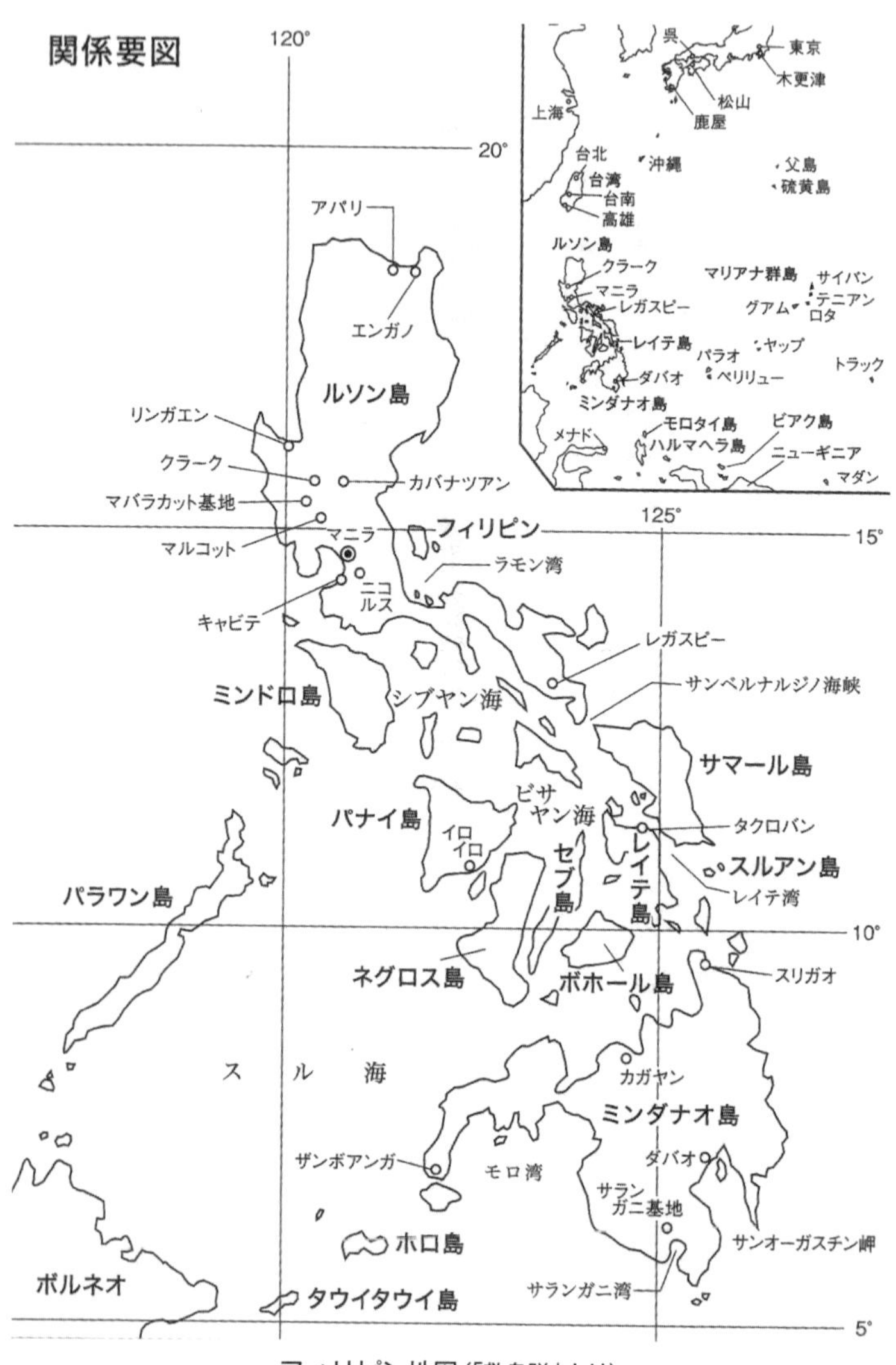

フィリピン地図(「敷島隊」より)

負けるともう前途はありません。

大西中将は、１９４４（昭和19）年10月5日、第一航空艦隊司令長官に親補（天皇が特定の官職を親任すること）されました。大西中将はフィリピンに出発する前に海軍大臣米内光政大将や軍令部総長及川古志郎から特攻作戦について諒承を得、続いて台湾に立ち寄って、ハルゼー部隊によって日本の部隊が壊滅させせられるのを見て（台湾沖航空戦）、連合艦隊司令長官豊田副武大将に、この状況で勝機を摑むのは敵空母に対する体当たりしかないと力説しました。

神風特攻隊が誕生した「二〇一空本部」跡

マッカーサー軍の先鋒部隊がレイテ湾口スルアン島に上陸した10月17日、大西中将はマニラに着きました。19日、大西中将は「特攻」の相談をしようと、マニラ艦隊司令部に第一航空艦隊に所属する海軍航空隊「二〇一空」と「七六一空」の司令と飛行長を呼び出します。しかしクラーク基地の「七六一空」は来ましたが、マバラカットの「二〇一空」の山本栄司令、中島正飛行長は来ません。それで大西中将は自分からマバラカットに向かいます。実は山本司令、中島飛行長はマバラカット基地（マニラの北方約80キロメートル）が米軍による3度の空襲を受けて出発するのが遅れたのです。このため両者は途中ですれ違ってしまいました。

大西中将は、同日夕刻、マバラカット飛行場の海軍第二〇一海軍航空隊（「二〇一空」）本部に着きます。滑走路はすべて草原です。マバラカット基地は、陸海軍航空隊が使用する七つの飛行場があるクラーク飛行基地群の北西側にある飛行場です。ここで大西中将は会議を開きます。会議には二〇一空副長玉井浅一中佐、一航艦首席参謀猪口力平（一航艦司令部より派遣）、二十六航空戦隊参謀兼一航艦参謀吉岡忠一中佐など5人の幕僚が集まります。マバラカット基地の山本司令官と中島飛行長は出席していません。大西中将に呼ばれて遅れてマニラに向かった山本司令官は、マニラのニコルス基地から零戦でマバラカット基地に引き返しますが、途中不時着事故のため司令は左足を骨折しマニラの病院に入院してしまったのです。

大西中将は戦況を説明し、レイテ湾のアメリカ機動部隊などを壊滅させるためには、敵空母甲板を撃破して1週間ほど発着艦能力を奪うことが必要で、それには零戦に250キロ爆弾を抱かせて空母に体当たりさせる以外に道はなく、それを最初にやるのはマバラカット基地の第二〇一航空隊とクラーク基地の第七六一航空隊だとして、最初の特攻隊を創設したいと言います。空副長玉井浅一中佐がこれは山本栄司令の決定事項で自分の権限では返事ができないと答えると、大西中将は、自分の代わりに第一航空艦隊参謀長小田原俊彦少将がマニラで山本司令と面会して特攻決行の同意を得たとか、山本司令は特攻作戦をマニラで聞いて、マバラカットに「同意」の電話を入れたとか、山本司令はこの件は玉井副長にまかすということだったとか、いろいろ言いつくろいました。

10月22日、大西中将は台湾からクラーク基地に進出してきた第二航空隊艦隊司令官の福留繁中将にも特攻隊の編成を要請しましたが、福留中将は従来の方法で行くからと断ってきました。しかし

24日に実施された二航艦の250機（または188機）による正攻法で104機だけになるという悲惨な結果に終わります。それで第二航空隊艦隊も特攻隊を編成し、26日に特攻攻撃を行います。

大西中将の特攻隊の名称は「海軍神風（しんぷう）特別攻撃隊」となります。この「神風特別攻撃隊」は海軍の航空機による特別攻撃隊にのみ用いられ、陸軍航空機による陸軍特別攻撃隊は含まれません。この名称の提案者は猪口力平参謀で、猪口参謀の祖父は、郷里（鳥取藩）の道場で古剣術「神風流（しんぷう）」の指南をしていたというので、この「神風流」から取ったものです。「この特攻で神風を吹かせなければならん」ということでそう決定されました。しかし読み方は「しんぷう」よりは「かみかぜ」という呼び方が次第に定着していきました。なお、「神風特別攻撃隊」という名称は大西中将が東京を出発する前に中央と名前を打ち合わせていたともいわれています。この当時、政府は必ず「神風」が吹いてアメリカを一掃すると宣伝し、国民はそれを固く信じていたのでした。しかし「神風」が吹いたのは鎌倉時代の蒙古襲来の時、すなわち文永の役（1274〈文永11〉年）、弘安の役（1281〈弘安4〉年）で、600年以上も前のことです。アメリカの機動艦隊が台風ごときもので沈没するわけがありません。

関行男大尉と「敷島隊」

さて、空副長玉井浅一中佐は特攻隊の編成は航空隊側に一任してほしいと大西中将に要望し、大西中将はそれを許可しました。第二〇一航空隊は結成当時230機の零戦を保有する一大戦闘機隊として発足しましたが、ラバウル、マリアナ諸島で米機動部隊との戦闘を重ねるなかで、戦闘機もパイロットも失い、マバラカット基地へ移った時点では、戦闘機30機、その他20機の合計50機しかありません。それに陸軍機30機を合わせても、フィリピンを守る基地部隊航空兵力は70機ほどに過ぎません。10月19日夜半、玉井中佐は特別攻撃隊隊長と隊員の選定に当たらねばならなくなりました。「お前は明日、爆弾を抱えて死ね」と命じるわけですから大問題です。玉井中佐は、「海軍兵学校出身者を指揮官に」という猪口力平参謀の意向を受けて、第一神風特別攻撃隊指揮官には海軍兵学校出身の関行男大尉（海兵70期・愛媛県出身23歳）を指名しました。

関行男大尉

関行男は9月25日に台南（台湾）から二〇一空の「戦闘第三〇一飛行分隊長」として赴任したばかりでした。関は元もと敵機と空中戦を行う零戦の搭乗員ではなく、敵艦隊に急降下爆撃を行う艦上爆撃機の操縦士（「艦爆乗り」）だったので、戦闘機隊に転科させられたものの零戦での空中戦には慣れていませんでした。それで「戦闘機に乗れない分隊長」と嘲（あざけ）られました。関は長身かつ痩身で、こけた頬に無精ひげを生やし、陽に焼けて浅黒い顔をし、突き刺すような鋭い目をしていました。霞ヶ浦航空隊の教官時代には、苛烈な鉄拳制裁で飛行学生を震え上がらせ、「どう猛な教官」として知られていました。しかしこの頃は熱帯性の下痢で長期間半病人状態でした。彼は「考えさせてください」と一旦保留しました。彼には5カ月前に結婚したばかりの新妻満里子と母サカエがいました。母のサカエは愛媛県の西条市にて、骨董商の夫を亡くして以来草餅の行商で生計をたてていました。ずいぶん懊悩（おうのう）したことでしょう。かなり長い時間が経ちました。しかしついに「承知しました」と返事しました。「艦上爆撃機の出身の自分がどうして選ばれたのか、よく分からない」とも言っていました。猪口参謀は「関に、いい死に場所を見つけてやった」と言っていました。

関大尉はすぐに自分の母のサカエと妻の両親、妻の満里子自身へ宛てた遺書を書きます。両親への遺書の中に、「本日、身を以て母艦に体当を行う」と書いてあるのは驚きです。決断をするとその日の朝には「体当たり」するというのですから。

玉井中佐は最初の特攻隊員に、第二六三海軍航空隊時代から教育してきて、松山基地では「豹」部隊の司令官をしていて、「オヤジ」と慕ってくれた予科練甲飛10期生（第10期甲種飛行予科練習生）を選びました。辛い決断でしたが、同時に甲飛10期生に一花咲かせてやろうという考えだったようです。玉井中佐は甲飛10期生出身の33名を集めて特攻の志願を募り、最終的に24名の特攻隊を編成しました。こうして24名の飛行予科練習生と、24機の4部隊から成る「海軍神風特別攻撃隊」ができました。各隊は敷島隊、大和隊、朝日隊、山桜隊と名付けられました。各隊は、零戦爆装機（体当たり）3機、直掩機（ちょくえんき）2機を標準としました。直掩機は戦爆装機を妨げる敵機との戦闘および戦果報告を任務としています。「敷島隊」は中野磐雄一等飛行兵曹（福島県20歳）、山下憲行一等飛行兵曹、谷暢夫一等飛行兵曹（京都府出身19歳）の3名で編成されました。

編成と一口に言っても、ただ員数を合わせればいいというのではありません。突入するのは一人ひとりであっても、最後まで冷静に突入できるためには今でいうチームワークが大切です。ですから選任者は階級や〝メシの数〟に気をつけねばなりません。たとえ階級が一つ下でも、実際には〝古参〟の方が経験豊富だからです。また死ぬことなど恐くないと言っていても本当にそうなのか、いざとなると恐怖のあまり発狂して体当たりできなくなるのではないかなど、一人ひとりの本質を見極めねばなりません。

「海軍神風特別攻撃隊」の4隊の命名者は「特攻隊の生みの親」の大西中将で、国学者本居宣長の詠んだ和歌の一首「敷島（＝大和国、日本）の大和心を人問はば朝日に匂ふ山桜花かな」から取りました。この歌は元もとは、「大和心（日本人の心）とはどのようなものかと人が尋ねたなら、朝日に美しく照り映える山桜の花のようなものだと、答えよう」というとても平和な意味でした。しかし戦時中には、この歌は「桜の見事な咲きっぷりと散る時の潔さ」を詠ったものだ、これこそ帝国軍人の「大和魂」だという意味へと変わっていきました。それにこの歌には「敷島」「大和」「朝日」「山桜」と日本を象徴するものが四つも入っていることが、その解釈を後押ししました。

第二〇一航空隊の「神風特別攻撃隊」はこうして１９４４年（昭和19年）10月19日夜半、マバラカット基地で編成されたのです。さらに菊水隊（これは楠正成の家紋「菊水」から来ています）、葉桜隊等が次々と編成されます。
翌10月20日午前10時、大西中将は二〇一空本部前にて編成された敷島隊、大和隊、朝日隊、山桜隊等の特攻隊員24名を前にして、「今の戦況を救えるのは、大臣でも大将でも軍令部総長でもない。それは若い君たちのような純真で気力に満ちた人たちである。みんなは、もう命を捨てた神であるから、何の欲望もないであろう。ただ自分の体当たりの戦果を知ることができないのが心残りであるにちがいない。自分はかならずその戦果を上聞に達する（天皇に届ける）。国民に代わって頼む。しっかりやってくれ」と訓示しました。現人神なる天皇に伝えると言ったのは隊員の士気を鼓舞するためです。この後、関隊長と敷島隊、大和隊の両隊はマバラカット西飛行場に、朝日隊、山桜隊はマバラカット東飛行場に移動して出撃の時を待つこととなりました。この日は特攻作戦は実施されないままで終わりました。

この日の午後3時頃、大西中将はマニラに戻る前にマバラカット西飛行場に来てバンバン川の河原にある天幕に隊機していた関隊長と敷島隊隊員3名、大和隊隊員3名とよもやま話をしました。そして別れる前に別れの水杯を交わしました。水筒の蓋を杯とし、最初に大西中将が飲み、玉井空副長が受け取って左端の関に渡し、再び玉井空副長が受け取って水を注ぎ、次に渡すという順で進みました。大西中将は全員と固い握手をし、最後に「それでは諸君、頼む……」と言って、去って行きました。これを日映新社の稲垣浩邦カメラマンが撮影していました。

この後、みんなは宿舎に戻りました。士官以上の幹部は本部の建物の中に2人部屋とか3人部屋を割り当てられていましたが、下士官以下の宿舎は、民家を接収した高床式のニッパハウスと呼ばれる建物でした。そこは大部屋で、ベッドは竹を二つに割って組んだもので寝心地の悪いものでした。彼らは毛布を布団代わりにして寝ていました。しかし特攻隊が編成されてから、食事内容は一変しました。それまでは一汁一菜とパパイアの漬け物程度でしたが、白米、魚、肉の缶詰がたくさん出ました。酒も出されましたが、翌日の未明に出撃の隊員たちはほとんど口にしませんでした。

特攻は志願だったか

大西中将はよく、成功させるためには命令ではなく隊員自らがそういった空気にならなければ実行できないとか、戦闘機隊勇士で編成すれば他の隊も自然に続くだろう。水上部隊もその気持ちになるだろう。海軍全体がこの意気で行けば陸軍も続いてくるだろうと語っていて、特攻はよく「志願制」で、特攻隊員は自ら志願したといわれます。「憂国の至情に燃える若い数千人の青年が自らの意志に基づいて絶対に生きて還ることのない攻撃に赴いた事実は、真にわが武士道の精髄であり、忠烈万世に燦(さん)たるものがある」(関行男慰霊之碑の碑文。愛媛県西条市の楢本神社)。本当でしょうか。たとえ志願であったとしても、志願はあくまでも「タテマエ」で、全員が志願するように「限りなく指名に近い強制が働いた」のではないでしょうか。

この最初の特攻について具体的に見てみましょう。いろいろな証言があります。最初の特攻隊を編成した空副長玉井浅一中佐は二〇一空に召集をかけました。すると総員63名のうちマバラカットにいた33名が集まりました。玉井中佐は、戦局と長官の決意を説明したところ、喜びの感激に興奮して、全員双手を挙げての賛成である。キラキラと目を光らして立派な決意を示していた。全員が志願したため、玉井副長ら航空隊幕僚が選考したと、戦後に語ります。しかし生き残った元特攻隊員浜崎一飛曹の証言によると事実は次のようです。

玉井中佐は声を励ましていった。「いいか！　貴様たちは、突っ込んでくれるか！」

関大尉が思いがけない体当たり攻撃を突然聞かされてしばし黙り込んだように、甲飛十期生たちも言葉を失ったままでいた。浜崎一飛曹も棒立ちになっている。すでに空戦歴の数多いこの搭乗員は、とっさに、後に仲間同士で話し合ったように、体当たり攻撃をやるくらいなら米空母ぎりぎりの位置にまで近づき、爆弾を命中させて帰ってくればいいではないか、と考えていた。それに何よりも、体当たりという異常な戦法がいままさに実施されようとしている気配に、「皆シュンとなっていた」のである。

すると、玉井中佐が十期生たちを叱りつけるように大声でいった。

「行くのか、行かんのか！」

その大喝に、全員が反射的に手を上げた。それは、「全員双手を挙げて賛成した」というのではなく、不承不承手を上げたという恰好であった——と、浜崎一飛曹が証言している。

これが甲飛十期生「全員志願」の真相である。（「敷島隊」）

生き残った玉井中佐の「喜びの感激に興奮して、全員双手を挙げての賛成である。（……）キラキラと目を光らして立派な決意を示していた」という証言は、無理矢理「志願」させた者の責任逃れのように聞こえます。この二〇一空本部前に集合した者の中に、敷島隊の最初の隊員となる中野磐雄一等飛行兵曹（2番機）、山下憲行一等飛行兵曹、谷暢夫一等飛行兵曹（3番機）もいました。特攻の25日、山下憲行一等飛行兵曹は飛行機が不具合で途中から引き返す（しかし後に、特攻で戦死）のですが、「日本が勝つためには何が何でも体当たりで行く」と主張したようです。実際に意気高揚と、もろ手を挙げて志願した者もいました。

しかし夜半に集合させられて、零戦の腹に250キロ爆弾を抱えて空母に突っ込め、明日、お国のために死ねと言われても「ハイ、死にます」などと言える者は多くありません。大半はかつての教官の一喝に震え上がって思わず反射的に手を挙げたにすぎません。恐喝のもとでの「志願」でした。これが「志願」の実情だと思います。

彼らは確かに航空兵を志願しましたが、航空兵は敵の編隊と渡り合ったり、敵艦隊に爆弾を投下するのが任務でした。しかし「特攻」の場合は必ず死ぬのです。まともな人間が一瞬にして決意できるものではありません。しかし「志願した」彼らは、一晩のうちに、明日は死ぬんだと、生への執着を断ち切る凄まじい決意をしなければなりませんでした。特攻隊員の行動の芯は愛する者や祖国を守るという気持ちであったのはまぎれもない事実ですが、明日は死ぬのだと生への執着を断ち切ることとは別です。決着がつかぬまま突っ込んだ者もいたでしょう。こうしたなか上官たちは、特攻隊員はその使命に燃えている、戦闘意欲は旺盛だ、米機により無駄死にさせるよりは特攻が慈悲である、部下にいい死に場所を与えてやった、などと勝手なことを口にしていました。

マバラカットの西飛行場で「二〇一空」の特攻志願を行いました。その中に永峰肇飛長と大黒繁男上飛長もいました。大西中将が第一次だけでなく、さらなる編成を要求してきたためもう甲飛10期生だけでは間に合わなくなったのです。中島飛行長が、これから体当たり攻撃隊員たちは当方より指名する。異存のある者は手を挙げろ！　と大声でどなりました。否も応もありません。もう命令です。衝撃を受けて身体も動かなくなった搭乗員に向かって、法政大学出身の久納好孚(くのうこうふ)中尉は「遅かれ早かれ皆死ぬんだから、行け、行け」と急きたて、全員を一歩前に出させました。この久納中尉は翌日午後出撃しましたが、悪天候のため他機が引き返すなか、一機だけでレイテ湾に飛んでいった猛者です。みんなはこういう男たちによって「志願」させられたのです。

永峰肇と大黒繁男は10月25日、敷島隊員として第七艦隊護衛空母群第3集団「タフィ3」に突っ込むことになるのですが、次のような経過をたどります。その前日の10月24日、大西中将はマバラカット、セブおよびダバオの各基地に対し、10月25日早朝、栗田艦隊がレイテ湾に突入するのを援助するようにと特攻隊出撃を命じました。特攻隊員は甲飛10期生からと決めていましたが、マバラカットでは2名不足しました。それで甲飛10期生以外からも志願を募りました。しかし志願者がなく司令部が決定することになったようです。24日夜、司令部から車がきて、永峰肇（戦闘三〇五飛行隊）と大黒繁男（戦闘三一一飛行隊）は呼び出されました。時間が経ちました……。やがてヘッドライトがニッパヤシの三〇五飛行隊宿舎の天井を明るく照らし、永峰肇が車（「地獄の火の車」）で送り帰されてきました。

セブ基地の永峰肇（後列右）19歳

永峰肇が上原上飛曹（戦闘三〇五飛行隊。永峰肇の機の専任搭乗員）のもとにやってきて、九州人らしく律儀に敬礼した。

「指名されたのか」

上原上飛曹が訊ねた。

「はい、指名されました」

永峰飛長がおうむ返しに答えた。

その折の情景は、いまもこの先任搭乗員（上原上飛曹）の記憶に残っている。永峰肇は緊張のせいか、顔色が変わっていた。陽に焼けているために、青ざめているようには見えなかったが、白く乾いた唇でそれとわかった。ランプの灯だけが頼りで部屋は薄暗く、それがまた室内の空気を重く沈んだものに変えた。　（「敷島隊」）

主計科の配慮で酒の一升瓶が手渡されました。みんなで飲みましたが酔えませんでした。普段は先輩たちに遠慮して酒を飲まない肇も、この日ばかりはコップを口に運びました。でも酔えませんでした。みんなはたくさんの歌を歌いました。から元気でした。その後自然にみんなは「予科練の歌（若鷲の歌）」を歌いました。

若い血潮の予科練の／七つボタンは桜に錨（いかり）／今日も飛ぶ飛ぶ　霞ヶ浦にゃ／でかい希望の雲が湧く（略）　生命（いのち）惜しまぬ予科練の／意気の翼は勝利の翼／見事轟沈した敵艦を／母へ写真で送りたい

殺すなら早く殺してくれと心の中で叫ぶ者もいました。肇の目にも涙があふれました。肇は死を恐れただけでなく、あとに残す両親や弟妹に後ろ髪を引かれたのでしょう。肇は先任搭乗員の上原定夫上飛曹に「これをもらってください」と愛用の尺八を手渡しました。訓練のない日に静かに尺八を吹くのが肇の唯一の楽しみだったのです。

私たちの主人公永峰肇もこうして特攻隊に編入され、米戦艦に突っ込むのですが、肇の丙飛同期生の青柳茂は、肇がよく家のことを案じているのを知っていました。肇のすぐ下の弟の福美も予科練を志願したので、家に残るのは父親の萬作と母親のステと8歳の弟と4歳の妹だけになります。肇は本当は長男として一家の柱とならなければならないのに予科練に入ったため、父母に老いた身で田畑を耕させているのです。それを知っている友人の青柳は、肇が本当に特攻に自ら志願したのかと疑念を抱いていました。肇自身も、大勢の予科練出身者の中からなぜ自分が選ばれたのか疑問のままだったとも言われています。しかし軍隊は別な論理で回っていました。

「特攻」というやり方には疑問をもつ人々も少なくありませんでした。250キロ爆弾を敵艦隊に命中させればそのまま生還することもできました。帰還すると、パイロットも飛行機も再びまた爆弾を積んで出撃することができるのです。軍部にはそう考える人々もたくさんいました。長い年月をかけて鍛え上げた飛行士を一回の攻撃だけで死なせるわけにはいかないと。終戦時の首相である鈴木貫太郎大将も、生還の途をふさいで死地に投ずるのは軍人を遇する道ではなく、「いやしくも名将は特攻隊の力を借りないであろう」と自伝に書いています。永峰肇の属した敷島隊の関隊長自身が出撃の前夜ひそかにマバラカット基地近くのバンバン川で同盟通信社特派員の小野田政に語った言葉はよく知られています。小野田は回想録『神風特攻隊出撃の日』の中で、関がこう語ったと書いています。

「報道班員、日本もおしまいだよ。僕のような優秀なパイロットを殺すなんて。僕なら体当たりせずとも、敵空母の飛行甲板に50番（500キロ爆弾）を命中させる自信がある。僕は天皇陛下のためとか、日本帝国のためとかで行くんじゃない。最愛のKA（ケーエー）（海軍の隠語で妻）のために行くんだ。

命令とあらば止むを得まい。日本が敗けたらKAがアメ公に強姦されるかもしれない。僕は彼女を護るために死ぬんだ。最愛の者のために死ぬ。どうだ。素晴らしいだろう」

関のKAとは慰問袋を送ってきた女学生の姉の渡辺満里子で、2人は1944（昭和44）年5月30日、結婚します。満里子の父は現在の「はとバス」の創設に携わった人物です。しかしこの結婚生活は3カ月しか続かず、関は8月31日、台湾の台南航空隊に赴任していって、再び会うことはありませんでした。祖国とか大義とか皇国という大きなものではなく、自分はKAのために戦って死ぬという関は、結婚前に軍学者の山鹿素行語録を引用して、武人の妻の覚悟というものを説きました。関のような優秀なパイロットを次々と死なせていくとは海軍は何を考えていたのでしょう。本当に攻守を逆転できると考えたのでしょうか。日本帝国の敗北を少しでも遅らすことができたらそれでいいと考えたのでしょうか。

特攻は強制ではなく志願だったという人が口にするのは、願書に熱望・望む・望まないのいずれかに丸をつけて出し、その中から選出されるというものでした。志願の方式には特に決まった形式はなく、それぞれの形で志願が募られていたようです。こんな形もあったでしょう。しかしそれは最初だけで、志願者は部隊や上官に直接志願の申し出をする、名前を書いて出す、上官に口頭で答える、一歩前に出るという順序で次第に「志願」は骨抜きにされていきました。確かに、われ先に熱烈に志願してきたというケースも多かったでしょうが、後で1人になって冷静になった時、どんな気持ちだったでしょう。

三、「世界最初」のカミカゼ攻撃

長く短い5日間

1944（昭和19）年10月21日朝、特攻隊隊長の関行男大尉はこの日から敷島隊の隊長をも兼ね、敷島隊は総勢4名となりました。21日、22日、23日、24日と索敵機が敵機動艦隊を発見したという場所を目指して、敷島隊を含め各特攻隊は飛び立ちました。しかし、多くは敵艦隊が見つからず帰投しました。敷島隊は3回出撃し、4日間生きのびました。そして敷島隊は25日に特攻死するのですが、この間の隊員の気持ちはどうだったでしょう。根本順善著『敷島隊　死への五日間』はこれを扱っています。それを参考にしながら、著者なりの考えを述べたいと思います。

最初に、特攻に出撃せよと言われた時は、前項の「特攻は志願だったか」で見たように、死の恐怖におののいたことでしょう。しかし同時に大西中将が言った、「日本は今、危機でありこの危機を救えるのは若者のみである」とか、「皇国日本の命運は、かかって諸君の、肉体と魂に託されている」とか、「天皇陛下のため」という言葉で、死を恐れてはならぬという軍人精神を振るい起こしたことでしょう。そして敵艦に突入する時は、天皇陛下万歳と叫んで花と散ろうと思ったことでしょう。初日はそんな決意で飛び立った者も少なくなかったと思います。しかし敵艦隊が見つからず250キロ爆弾を海に投下して戻ることのないはずだった基地に戻ってしまいます。

死ぬ覚悟で飛んでいったが戻ってくることを繰り返すと、生への執着や死への恐怖が甦ってくることでしょう。大西中将は「皆はもう神であるから世俗的欲望はないだろう」と言いましたが、生きたい、死にたくない、家族に会いたい、新妻に会いたい、恋をしたかったという「世俗的欲望」が次々と芽生えてきたことでしょう。しかしそれでは死ねません。逃げられない死と向かい合わされて、必死に死ぬ意味を求めたことでしょう。人間はいずれ死ぬんだ、「散る桜、残る桜も散る桜」だと思い込めたと思っても、次の瞬間には死の恐怖が湧き、隊員にとっては地獄の日となったことでしょう。納得できない理屈を無理矢理のみ込んで出陣しますが、また死ぬことができないまま戻ってきてしまいます。

そんな日が続くと、幹部は苦々しい表情を見せるようになります。また生き恥をさらしに戻ってくるなんて、何てぶざまなことを、と幹部は日々不機嫌になっていきます。すると軍部の不合理さに反発する気持ちが出てきます。これは俺たちが望んだ死に方ではない。俺たちは零戦乗りだ。空中でアメ公と華々しく戦って、奴らを海中に叩き落とす零戦乗りだ。それがなんだ、アメ公と戦いもせず爆弾を抱いて死ねなんて、俺たちが選んだ道ではない。お前たちが決めたのだ。空中戦でならいくらでも死んでやる。しかしこんなやり方では死ねない。

それでみんなで相撲を取りました。大笑いしました。大声で声援をあげました。その時は死を忘れることができました。これまで多くの死を見てきたのだからもう麻痺していると思っても、次の瞬間には死への恐怖が身体の底から生じてきます。こうして生と死の間を行き来していると、望みは、早く終止符を打ってくれ！　ということだけになります。

彼らはこの地獄のような試練に耐え続けたのです。5日間の長い時間は、地獄の苦しみでした。「死ぬなら早く殺してくれ！」とは特攻生存者の赤裸々な言葉でした。強靱な精神力がなければとても耐えられない苦悩でした。

日本はレイテ湾にいる米艦隊を撃破して米軍の北上を阻止しようとしました。第一遊撃部隊として航空機を持たぬ栗田艦隊は、39隻の大艦隊を率いてボルネオのブルネイを発ちました。栗田艦隊はミンドロ島の南から東に回ってフィリピンに入り、サンベルナルジノ海峡を西から突破してサマール島沖を南下し、レイテ湾に突入しようとする時には、何度もの戦いで沈没や爆撃を受けかなり弱体化していました。そして10月24日午前6時45分、栗田艦隊は護衛空母6隻、駆逐艦7隻の「タフィ3」（クリフトン・A・スプレイグ少将）と激突します。栗田中将はこれこそ米軍本拠の機動部隊と思いましたが、トーマス・スプレイグ少将が「レイテ湾会戦」に備えて第七艦隊護衛空母群のうちの自分の率いる空母群を3隊に分けたうちの一つにすぎませんでした。「サマール沖海戦」です。戦艦「武蔵」、重巡「妙高」が被爆して落伍、戦艦「長門」、駆逐艦「清霜」が被爆、軽巡「矢矧（やはぎ）」が損傷し、栗田艦隊は満身創痍となりました。栗田長官は「武蔵」から「大和」に移りました。午後7時半、巨艦「武蔵」は遂に沈没しました。

さて戦艦大和の46センチ砲は、その日の午前6時59分に最初の火を噴き、はるか遠くの「タフィ3」の護衛空母1隻（護衛空母は 商船などを改造して補助空母として造られたもので甲板は木板から成る）と駆逐艦3隻を撃沈させました。中には大和の徹甲弾の砲弾が強力すぎて命中してもそのまま船底から出てしまい大穴を開けただけに終わったのもありました。米軍は煙幕を張り、またスコールに助けられて逃れました。栗田艦隊は優勢だったにもかかわらず、「謎の反転」を遂げ、レイテ湾への突入を止めて北方に向かって引き返してしまいました。

栗田艦隊がレイテ湾に突入するのは25日夜明けと決まっていました。しかし飛行機を持たぬ栗田艦隊は「タフィ3」との戦いで時間を取られ、また艦隊はバラケてしまった艦隊を北上して隊伍を組むのに2時間、計6時間取られてしまいました。レイテ湾に突っ込むと、再びアメリカ機動部隊の猛烈な空襲を受けます。「タフィ3」との戦いが終わった時、栗田艦隊は戦艦4隻、重巡洋艦6隻、軽巡洋艦2隻、駆逐艦11隻となっていました。航空機を持たぬ栗田艦隊としては太刀打ちできません。二航艦の福留中将は主張した250機（または188機）で総攻撃を行い敗北を喫し、機数も104機に減らしてしまいました。それで福留中将は特攻に方針を変え、特攻隊は栗田艦隊のレイテ湾突入とともに米機動部隊に爆弾を抱えて突っ込むことになっていました。しかしこれらの情報は一切、栗田艦隊には届いていません。それで栗田中将は米機動部隊の圧倒的な強さを知って栗田艦隊を温存する道を選んだとも、北方の米機動部隊との戦いを求めたとも、また「逃げた」ともいわれます。

小沢機動部隊は予定どおり囮作戦をしかけて、24日夕刻から、ハルゼー・第38機動部隊の三つの空母群を北のエンガノ岬沖に北上させ、栗田艦隊がレイテ湾に突入するのを助けました。しかし栗田艦隊がレイテ湾突入を放棄したため、小沢機動部隊の陽動作戦も無駄に終わりました。それどころか小沢機動部隊はハルゼー・第38機動部隊との戦い（「エンガノ岬沖海戦」）で叩かれ、最後の正規空母「瑞鶴」（最初から空母の機能を前提に造られた鋼鉄製の甲板から成る航空母艦）を失うなど大敗北となりました。

海軍の特攻作戦の最大の目的は、栗田艦隊をレイテ湾に突入させることでした。そのために特攻は栗田艦隊を援助し、敵空母の甲板を一定期間使用不能にするという役割を担っていました。しかし理由はともあれ、肝心な栗田艦隊はレイテ突入を止め、反転してしまったのです。日本海軍の艦隊戦力はこのレイテ沖海戦を最後にして事実上消滅しました。

出撃の朝

さて10月24日、大西中将はマバラカット、セブおよびダバオの各基地に対し、翌日早朝に、米空母を叩いて栗田艦隊のレイテ湾突入を助けるようにとの特攻隊出撃を命じました。25日の朝を迎えました。俺が死んだってこの世から5尺の躰が消えるだけで、世の中は変わりもしない。みんなすぐに忘れて泣いたり笑ったりする生活が続くんだ……。悶々とした夜でした。悶々と苦しんだ果ての短い眠りでした。しかし夜が明けると覚悟が決まりました。米空母を叩いて栗田艦隊のレイテ湾突入を助けるという目標が定まったからです。目標が定まり晴れ晴れとした顔もあります。

同日7時25分、敷島隊隊員は西飛行場の戦闘指揮所前に集合しました。指揮所は以前はきちんとした建物でしたが、グラマンの幾度もの襲撃で吹き飛ばされ、今はテントが張られているだけです。宿舎に着いて、士官以上の幹部は本部の建物の中にあり、下士官以下の宿舎は接収した高床式のニッパハウスだったということは既に書きましたが、隊員は普段はバンバン川のほとりにある「待機所」のテントの中にいて、出陣命令が出るとトラックが来て彼らを乗せ、本部前を通って飛行場(平らな草原)へ運ばれました。「敷島隊」10機(爆装零戦6、直掩零戦4)は準備を終えました。機体の下部にはいつも見慣れた増加燃料タンクは取り外され、代わりに重い250キロ爆弾が備え付けられていました。帰還分のガソリンは不要だったのです。出撃の時、直掩機の隊員は落下傘バンドをしっかり胸に付けますが、特攻隊員の機体から落下傘バンドは外されています。突っ込む特攻隊員には落下傘も必要でなかったのです。また後には、特攻隊の操縦室には速度計と旋回計しか残らなくなったといわれます。

10月21日から、神風特別攻撃隊全体の指揮官である関隊長は「敷島隊」の隊長にもなっていました。関隊長(大尉)以下4名の敷島隊には、永峰肇飛行兵長と大黒繁男上等飛行兵が加わって6名となっていました。永峰肇は丙飛15期、大黒繁男は丙飛17期生で、中野磐雄、山下憲行、谷暢夫のように甲飛10期生ではありませんでした。爆弾を抱えている零戦にはドッグファイト(dog fight =戦闘機同士の空中戦。空中戦が犬同士が尻尾を追いかけ合う姿に似ていることに由来）はできないので直掩機がつきます。直掩機は爆装機の行く手を阻む米軍機と戦い、かつ戦果を見届けて本部に知らせるためのものです。ですから直掩機は先頭を飛んで、敵機動部隊に近づくと爆装機から離れます。しかし必要によっては敵機動部隊の周りを飛び、敵の目を爆装隊から逸らさせる役もします。直掩機にもう1名加わり4名となりました。4人目はラバウルで海軍の撃墜王と勇名を馳せた西澤広義飛曹長で、直掩隊指揮官となりました。敷島隊は関大尉が付き、爆装隊は3名から6名に増え、また超一流の護衛戦闘機隊の傘に護られていて、敷島隊は格別の成果を挙げるように仕組まれていたのです。

山本司令官による出撃直前の敷島隊への訓辞

そこへ山本栄大佐（第二〇一航空隊司令官）がやってきました。山本司令官は、10月17日、マニラに着いた大西中将が召集した会議に出席のため急ぎながらも間に合わず、マニラからマバラカットへ戻る途中、零戦が故障して骨折しマニラの海軍病院に入院し、前日マバラカットへ戻っていたのです。山本司令官は骨折の身ながら松葉杖をついて駆けつけ、二〇一空の専属である副島（そえじま）軍医大尉に支えられて激励の言葉をかけ、隊員一人ひとりと固い握手を交わしました。関は自分と同室でもあり、熱帯性下痢の面倒を見てもらった副島軍医大尉と固い握手を交わしました。そして「かならずやってきます」と言いました。その表情を見て、副島大尉はいよいよ最期の時が来たことを自覚しました。

右ページの写真は、中央に山本司令官と司令官を支える副島軍医大尉。左より関行男大尉（1番機）、中野磐雄一等飛行兵曹（2番機）、山下憲行一等飛行兵曹（途中で引き返す）、谷暢夫一等飛行兵曹（3番機）、永峰肇飛行兵長（4番機）、大黒繁男上等飛行兵（5番機）（「一等飛行兵曹＝一飛曹（いっぴそう）」は下士官で、「飛行兵長＝飛長」は兵士）。全員、薄茶色の飛行服に半長靴、飛行帽姿で、首に白絹のマフラーを巻いていました。簡単な儀式でしたが、これが敷島隊としては4回目の出撃で出撃のたびに爆装零戦は増えました。今日の敷島隊6名にとっては今生の別れとなりました。直立不動の姿勢には若者の純真な心が滲み出ています。

なお、この様子は写真2枚を用いて日本の新聞でも報道されました。1枚目は出陣する敷島隊隊員5名への大西龍治郎中将の訓示の場面、2枚目は関隊長一人のもの。司令山本栄大佐はこの日の日記にこう記しました。「神風特別攻撃隊敷島隊出発　訣別に行く　唯崇高なる感に打たれるのみ　五軍神逝きて帰らず　見よ！　千古不朽の勲（いさお）（りっぱに仕事をなしとげたこと）を！　米鬼軍門に降る迄は！　我らの生魂（いくむすび）（人間の生命を活発に栄えさせる霊力）のあらん限り続くぞ！」。出陣しない司令官がこう感情を高ぶらせているのです。それが二十歳前後の特攻隊員に感染しないわけがありません。

発進の時となりました。永峰肇は突然恐ろしい孤独感に襲われました。肇の搭乗を、徹夜で整備にあたっていた浜田義胤二整曹が手伝いました。肇は革手袋をはめ、規定どおりに計器のチェックをすませ、目前にある7・7ミリ機銃の装填をし、いつでも掃射できるようにしました。そして肩バンドをかけ、通常より強めに座席ベルトを締めてもらいました。頑張ってくださいと浜田二整曹が肩をたたくと、永峰は2、3度大きくうなずきました。しかし視線は浜田を見ておらず、まなじりを決したその顔はとても恐い表情でした。これがこの世で見られた永峰肇の最期の姿でした。この時肇の特徴ある紫色のマフラーが風にゆらいでいました。

敷島隊の出撃

発進を見送る人々

その出発の場面が写真に残っています。関の機が動き出すと、副島大尉は思わず一緒に走り出して大きく帽子を振ります。敷島隊は多くの人に見送られて発進しました。「おーい、おれたちも、すぐに行くぞ!」。しかし見送られる側はそれに応えません。それは希望に満ちた新しい門出などではないからです。上の写真中央は関行男が乗った特攻機です。腹部に250キロ爆弾を抱えているのがはっきり見えます。右端に、足を包帯し、松葉杖をついた山本司令官がいます。写真中央で左手を頭に回し軍帽を振っているのは体調の悪い関の面倒をみてきた副島軍医大尉です。なお、これを撮影したのは朝日新聞の吉田特派員（後戦死）、あるいは日映カメラマン稲垣浩邦といわれています。この朝、各基地から合計104機が次々と出撃しました。生きていられるのはあと3時間だけです。

敷島隊出陣のニュース映画

10月25日の敷島隊の出撃の場面は、ニュース映画として編集され、戦時下、映画館で上映されました。タイトルは「NHK　日本ニュース・神風特別攻撃隊」（「日本ニュース」）で、現在はYouTube「第232号　神風特別攻撃隊敷島隊」（同）で見ることができます。

冒頭には「海行かば…」の歌とともに、後述の海軍省（連合艦隊司令長官）から全軍へあてた敷島隊隊員の「偉業」を讃える布告が文字で出てきます。その中に突入した敷島隊隊員5名の名前が出ていて、永峰肇の名前も入っています。それから出陣する敷島隊隊員5名への大西龍治郎中将の訓示、飛び立つ特攻機を見送る人々、空を飛び行く特攻機。一貫してアナウンサーの声が流れています。その声は「再生テキスト」として次のように文章化されています。

レイテ湾に、フィリピン東方海面に、激戦壮烈を極める10月25日、神風特別攻撃隊敷島隊員は、敵艦隊攻撃の命を受けて出発せんとす。これを指揮するは24歳の若桜、関行男海軍大尉。中野、谷、永峰、大黒の各隊員、1機もって1艦に命中。生還を期せず。今、心静かに僚友とともに歌う「海ゆかば」。

この日、特に所属長官は、関大尉をはじめ隊員とともに別れの杯を酌み交わして、全機必中の成功を祈った。

僚友に最後の別れを告げる勇士たちは、従容（しょうよう）（ゆったりと落ち着いているさま）としてむしろ死所を得たる喜びに燃えていた。この出陣の心境を、谷一等飛行兵曹は歌に残した。「身は軽く　勤め重きを思うとき　今は敵艦にただ体当たり」。神風特別攻撃隊の志願者は、陸続として後を絶たずという。その先駆け、敷島隊員の生還なき進発の時は来た。

帽子を振り、滑走路の方へ。基地の将兵は飛び出して別れを告げる。長い長い、見送りの列である。俺も続くぞ、成功を祈る。僚友の無言の声援を受けて飛び出した。誘導護衛機に導かれて、スルアン島の沖へ。悠久の大義に殉じ、忠烈萬世に冠たる出陣である。

盡忠に應へる赤誠を白金で！　赤誠の締切十一月十五日

このアナウンサーの声の中に、「この日、特に所属長官は、関大尉をはじめ隊員とともに別れの

10月20日、大西中将の敷島隊と大和隊との訣別の水盃（日映・稲垣浩邦カメラマン撮影）

杯を酌み交わして」という場面があります。当然、山本司令官が訓示する場面が現れるだろうと思うと、そうではなく前述の10月20日、大西中将が敷島隊員・大和隊員の7名と最期の水盃を交わす映像（写真）が使われています。写真では、隊員たちがよく水浴びをしたバンバン川が流れ（現在は埋め立てられている）、背の高いススキが気持ちよさそうです。それらを背景に最期の水盃が交わされています。大西中将は後ろ向きになっており、玉井副長が左手で杯に水を注いでいます。実際は隊員たちの前に大西中将、猪口参謀、玉井中佐と並び、門司大尉がこの順序で上官たちに水筒の水を注ぎ、その後玉井中佐が水筒を受け取って関隊長から水杯をついていきます。この映像に出てこない左手には、手に何かを持っている人がいます。写っていませんがいろいろな人がいたようです。

ススキの前で整列している兵は左から関行男（敷島隊隊長）、中野磐雄（同隊）、山下憲行（同隊）、谷暢夫（同隊）、塩田寛（大和隊）、宮川正（大和隊→菊水隊）の6名です。「ニュース映画」は冒頭で、海軍省（連合艦隊司令長官）から全軍へあてた布告の中で、またナレーターが敷島隊員は関行男海軍大尉、中野磐雄海軍一等飛行兵曹、谷暢夫海軍一等飛行兵曹、永峰肇海軍飛行兵長、大黒繁男海軍上等飛行兵と名前を挙げて「敷島隊ファアイヴ」と言っています。それで日本映画社は右端の宮川正（大和隊→菊水隊）を削除して、残った5名を「敷島隊ファアイヴ」として使いました。それで敷島隊の中に1名大和隊員（塩田寛）が入っているという妙なことになっています。またこの写真には敷島隊の永峰肇と大黒繁男は入っていません。敷島隊のオリジナルメンバーは中野磐雄、谷暢夫、山下憲行の3名で、永峰肇、大黒繁男が敷島隊に入ってくるのは発進するこの25日の朝だからです。この時はまだ敷島隊に属していなかったのです。

ニュースの「敷島隊ファアイヴ」はとにかく人数だけは整いました。しかし10月25日に出撃した時敷島隊は6名でした。米艦に向かう途中で山下憲行一飛曹は飛行機の不調で基地に引き返しました。ですから米艦隊に突っ込んだ時は5名でも水杯の場面は6名いたのです。6名のままでよかったのですが、映画社はそこまでは考え及ばなかったようです。

もう一つ気になるのは隊員の服装です。前出の副島大尉に支えられて山本司令官が最後の訓辞をする「敷島隊の最期の写真」を見てください。6名全員がパイロット服を着ています。しかしこの「ニュース映画」ではパイロット服を着て首に白いマフラーを巻いているのは関大尉と3番目の山下憲行だけで、中野磐雄、谷暢夫、塩田寛の3名は防暑服でくつろいでいる姿で、これから特攻に出撃する正式の服装には見えません。

最後にもう一つ。「日本ニュース」で地上にある零戦は腹下に250キロ爆弾を抱えていますが、肝心の飛び立っていく零戦は250キロ爆弾を抱えていません。こう見てくると、これはかなりい

慟哭するステ。隣が萬作

い加減な「ニュース映画」です。

これらの写真を撮った稲垣浩邦カメラマンは「私が思いをこめて撮った隊員たちの最期の姿はまったく使われず、他のニュースとのつぎはぎ映像ばかりで失望しました。これを敷島隊5名の最期の姿と国民が信じさせられるとはヒドイ話ですね」と述べています。軍部はこの5名を敵艦に突っ込ませて死なせ、「軍神」に祭り上げながら、写真ではいい加減な扱いをするとは驚きです。

また、永峰の両親は偶然見ていたニュースで息子の死を知り、酷いショックを受けたとよく言われますが、それは事実ではありません。肇の戦死は10月25日で、その戦死の新聞報道は10月29日、この「ＮＨＫ　日本ニュース　第２３２號」ができたのは同年の11月９日です。ですから両親はこのニュースを見た時には、既に息子の死を知っていたのです。

敷島隊の突撃

10月25日７時25分、敷島隊はマバラカット西基地を飛び立ちました。２５０キロ爆弾を搭載した爆装機は関行男大尉、中野磐雄一等飛行兵曹、山下憲行一等飛行兵曹、谷暢夫一等飛行兵曹、永峰肇飛行兵長、大黒繁男上等飛行兵の6機でした。それに爆装機を掩護したり戦果を確認して報告する直掩機が4機つきました。しかし敷島隊発進の55分前の6時30分には、ミンダナオ島第一ダバオ基地から「朝日隊」「山桜隊」、第2ダバオ基地から「菊水隊」、セブ基地から「大和隊」が飛び立っていました。そして7時40分、レイテ湾南東沖で第七艦隊護衛空母群第1集団「タフィ1」（護衛空母6隻、駆逐艦3隻、護衛駆逐艦4隻）に突入している最中でした。山下憲行一飛曹は敵艦隊と遭遇する前にエンジン不調でレガスピに引き返しました（山下憲行は26日に「葉桜隊」に編入、30日に出撃し戦死）。敷島隊の爆装機はここから5機となりました。

目標はフィリピン島東海岸沖に遊弋（ゆうよく）しているという米機動部隊です。敷島隊はフィリピンの東海岸に沿って南下し、タクロバン、ミンダナオ東方に向かいます。その間、関隊長をはじめ隊員全員は玉井副長に指示されたことを何度も何度も嚙みしめました。

――海上へ出たら敵のレーダーに捕捉されないように、高度は60フィート（約20メートル）以下まで下げる。敵艦隊に3000フィート（約990メートル）まで近づいたら一気に6600フィート（約2000メートル）まで急上昇し、そこから反転して真一文字に突っ込む。そこから加速して体当たりすると爆弾に零戦の重みが加わり破壊力が出る。しかし加速がつくと機体が浮き上がりオーバーラン（勢いあまって、止まるべき地点を走り抜けてしまうこと）する。そうならないために操縦桿を強く押さえるが、そうすると今度は機体が逆に前のめりになる。そこの兼ね合いが大切だ。狙うのは空母だけだ。空母の甲板だけだ。空母には「正規空母」と「護衛空母」があるが、「護衛空母」は最初から空母として造られた正規空母とは違い、商船などを改造して補助空母として造られたもので、小さく、甲板は鋼鉄ではなく木製で造られているため爆弾に弱い。特攻機はそこを狙え。上から見ると、甲板に紫色の正方形の部分がある。そこは飛行機を上げ下げするリフトのある場所で、そこが一番弱い。そこに突っ込むと250キロ爆弾はリフトを貫いて爆発する。そうすると空母は真っ二つだ。敵は猛烈な対空砲火を浴びせかけてくる。恐らく飛行機は火を噴くだろう。しかし一旦こいつと決めて狙いを定めたら操縦桿はそのまましっかり握って機銃掃射を撃ち続けろ――。

陸の上、雲の下を飛んでいると、天皇も国もすべて消えました。考えるのは懐かしい家族のことだけです。家族が世間から嗤(わら)われないように立派に死のうと決意をしなおします。またともすれば、操縦桿を手放してこのまま落下して死にたくなります。この時操縦桿を再度しっかりと握らせてくれるのは、一緒に死ぬ4人との仲間意識です。みんなは愛する家族を守るため、アメ公に殺された戦友の敵討ちのため命をかけて戦おうとしているのです。

南下していた敷島隊は10時10分に、サマール島沖で航行序列がバラバラになった栗田艦隊を確認しました。神風特攻隊の目的は、栗田艦隊のレイテ湾突入を成功させることでした。しかし栗田艦隊はレイテ湾とは反対の北方へ引き返して行きます。関大尉以下の隊員には、栗田艦隊は敵機動部隊の攻撃に晒(さら)されていると思われました。現に数多く爆撃機や航空機から攻撃を受けていました。その飛行機の発着艦を叩くべく南へ向かいました。

敷島隊（爆戦５・直掩４）の９機からなる零戦は米艦船に接近するまで、海上すれすれに飛んでいました。アメリカ軍のレーダーには何の機影も映りませんでした。そして栗田艦隊を確認してから30分後の10時40分、敷島隊はレイテ湾の小島スルアン島東方沖（タクロバン）で、「タフィ３」（クリフトン・A・スプレイグ少将）を発見しました。「タフィ３」は元もと護衛空母６隻、駆逐艦３隻、護衛駆逐艦４隻でしたが、１時間前までサマール沖で栗田艦隊と戦っていたために、護衛空母４隻、駆逐艦１隻、護衛駆逐艦１隻になっていました。「タフィ３」は輪型陣を作っていました。つまり同心円の中心に戦艦・航空母艦等の主力艦を置き、その周囲に巡洋艦、駆逐艦等の対潜、防空能力の高い補助艦艇を配置していたのです。護衛空母４隻は北方から南に向かって進んでいるので、敷島隊から見ると近い順に、セント・ロー（左手）とホワイト・プレーンズ（右手）そしてその前方（南）では、敷島隊から見てカニリン・ベイ（左手）とキトカン・ベイ（右手）が対称的に並進していました。この空母４隻はややくずれた四角形（輪型）を作っていました。旗艦ファンショー・ベイは全体から少し離れていたので敷島隊の特攻には遭いませんでした。

敷島隊は空母を取り巻く輪型陣を突破し、敵艦隊に３０００フィート（約９９０メートル）まで近づいた時には、零戦（ズィーク）（「ZEKE」〈ズィークは米軍のコードネーム〉）は高度５～６０００フィート（約１５００～１８００メートル）まで急角度で上昇し、それぞれ目標の空母を定めると、10時49分、ほぼ同時にダイブ（急降下）に入りました。爆戦５機は上空で２隊に別れました。関大尉に谷一飛曹が続き、直掩機の管川飛長も２人の後を追いました。他の３機はそれぞれに目標を定めて急降下しました。

みんな真一文字に突っ込んでいきました。目下の空母がグングン近づき、米機動部隊からの銃弾が下から舞い上がってきます。それでも操縦桿をしっかり握り、目を見開いて突っ込んでいきます。おかあさーん！　お母さん、助けてー！　かあさん、死にたくない！　機体が炎を上げても目を閉じずカッと見開いたまま、操縦桿をしっかり握って離さず、機銃を打ち続けたまま、嵐のような銃弾の閃光と巨大な死の壁に突っ込みました。

さて、この後、敷島隊の特攻攻撃がどのように進行したかを見てみましょう。これ以降のことはアメリカ側の記録にしかありません。詳しいのは「米太平洋艦隊司令部報告」のようです。日本ではYouTube「KAMIKAZE」と「マバラカット」がありますが、アメリカ側の資料に基づいて作られたようです。2つのYouTubeに基づいて敷島隊の攻撃の様子を再現してみます。

ホワイト・プレーンズ

陣型の右側を航行していた護衛空母ホワイト・プレーンズは、上空に5機編隊の日本機が接近してくるのを発見しました。その途端、2機（4番・5番機）がホワイト・プレーンズに向かいました。しかし1機が途中で被弾して煙を吐き出すと、突然方向を変えてセント・ロー（護衛空母）に向かっていきました。

ホワイト・プレーンズに向かった零戦は、対空砲火弾を浴び

炎上する空母セント・ロー

ながらも勢いよく艦尾に向かって突っ込みました（前ページ写真）。しかし艦が取り舵を一杯取り、また至近距離から20ミリ機銃の銃弾で左翼を撃ち落されたので、左舷艦尾にあと数フィートで体当たりというところでもんどり打って海中に転落しました。しかし爆弾は海面に近い空中で大爆発を起こしたので、船体が激しくねじ曲げられました。このため甲板に少しの被害と11名の死傷者が出ました（小破）。

その時、セント・ロー（護衛空母・1万400トン）は栗田隊が退去したあとで、「先頭配置」を解いて飛行甲板を片付けていました。すると10時50分、ホワイト・プレーンズに向かった2機のうちの1機が突然セント・ローに向かったのです。「総員配置につけ」の号令がかかった2分後の10時52分、零戦は急降下から低空水平飛行に移って突進してきました。零戦は対空砲火を浴びて黒煙を吹きながらも飛行甲板に突入しました。零戦は甲板に沿って回転しながら火のついたガソリンをまき散らしました。零戦の爆弾は甲板を貫通して格納庫で爆発しました。格納庫にはガソリンを満載した飛行機があり、また火薬庫には燃料、魚雷、爆弾、機銃がいっぱいに貯蔵されていたので、それらが次々と誘発を起こして、セント・ローは激しく炎上しました（写真）。黒煙は

カニリン・ベイ

1000メートルも吹き上がったと思われました。セント・ローは約30分後の11時30分8回目の大爆発を起こし艦尾を上にして沈没しました（撃沈）。右写真はこの瞬間を僚艦ホワイト・プレーンズの乗組員が撮影したものです。乗組員は850人または889人、戦死者114人または150人、負傷者約400人、救助された乗組員は約790人でした。なお、日本では、よくこの機は関隊長が操縦したものといわれますが、関隊長が突撃したのはカニリン・ベイ（護衛空母）のようです。

1機の特攻機が40度の角度でキトカン・ベイ（護衛空母）に突っ込みました。しかし狙いを外して空母の頭上を左から右に横切ると、対空砲火を浴びながら再び急上昇して反転し、再び艦橋を目指して急降下しました。しかし目標を外し、艦橋を飛び越え、飛行甲板の左舷外側の通路に衝突し、9メートルほど離れた海に転落しました。携帯した爆弾が海中で大爆発を起こし、艦の隔壁、扉、ガソリン導管に穴をあけ、同艦に少なからぬ被害を与えました（小破）。

カニリン・ベイはその朝の栗田艦隊の砲撃で、レーダーが効かなくなっていました。10時50分、3機の日本機がその艦に突入してきました。先頭機は関隊長だったようですが、対空砲火を浴びながらも煙を吐きつつ錐もみ状態になって右舷後方から急降下して前部エレベーター付近に突っ込みました。機体はバラバラになりましたが爆弾は不発に終わり、甲板は大穴が開き、流出した燃料より火災が発生しました。直ちに消し止められました（前ページ写真）。2番機（谷機。写真では右上方）は関機の30秒後に突っ込みました。対空砲火を浴びながら急降下し、左舷舷側中央部（後部エレベーターの前方）に体当たりしました。爆弾は海中に落ち、海中で爆発しました。爆弾の破裂によって船体に幾つかの破孔ができ、多数が負傷しました。3機目は管川操飛長（丙15期）の直掩機でしたが、集中砲火を受け、同艦の左舷側の海（右舷艦首から離れた海）に墜落しました。爆弾は破裂しませんでした。管川飛長は敵艦に接近して、敵の対空砲火を分散させることで関と谷の突入を成功させ、直掩の任務を全うしました（中破）。

攻撃が終了したのは11時30分でした。約50分の攻撃時間で、たった5機の特攻機が護衛空母1隻（セント・ロー）を撃沈させ、3隻（ホワイト・プレーンズ、キトカン・ベイ、カニリン・ベイ）を中小破させたのです。5隻の護衛空母の中で無傷だったのはファンショー・ベイだけでした。1機の零戦、1個の爆弾で、1隻の空母を葬った緒戦の戦果でした。アメリカは驚愕し、日本の大本営は歓喜の声を挙げたことでしょう。6機の〝自殺機〟のうち、目標を外れたのは1機のみと「ホワイト・プレーンズ」の戦闘記録に残っています。

ここで注目すべきことがあります。マバラカット基地のバンバン川原での待機所で打ち合わせの時、玉井中佐が、攻撃は散発的なものにならないようにと指示しましたが、そのとおりになりました。ホワイト・プレーンズには2機の特攻機が1列になって向かい、カニリン・ベイには先頭機（関隊長）と2番機が相前後して突っ込んでいることです。また、特攻機は機銃で機体をバラバラにされない限り決して突入進路を変えませんでした。教えられたとおり、目標を定めると、操縦桿をしっかり握って放さなかったのです。米兵は自分の命を捨てて真一文字に突っ込んでくる日本機に身の毛のよだつ恐怖を覚えたといいます。直掩機からの戦果報告もまた、通常の「爆弾命中」や「魚雷命中」ではなく、「一機命中」「二機命中」という異様なものでした。

炎上しながら突入するカミカゼ

5機の特攻機の突入については順序を追って書きましたが、何もこのような順序で突入したというのではありません。全機はあまり時間をおかず突っ込んだといえるでしょう。

4機の直掩機（西澤広義飛曹長、本田慎吾上飛曹、馬場良治飛長）は管川操飛長を失いながらも、直掩隊はF6と交戦、2機を撃墜し直掩の任務を果たしました。直掩機3機はセブ基地へ飛び、戦果は西澤広義飛曹長からセブ基地の中島飛行長へ伝えられました。その報告内容は、敷島隊は指揮官機の合図で全機突撃し、指揮官機は敵空母に命中。この命中で炎々と火を発し、転蛇して逃げ回る空母に列機がさらに命中し、その黒煙は、1000メートルも吹き上がったかと思われた。また他の1機は別の空母に命中して大火災・さらに1機は軽巡洋艦に命中して瞬時にこれを沈没させた（中島正手記『二〇一空戦記』）というものです。この報告は事実とは異なる部分があります。一つはセント・ローを撃沈したのは関大尉ということ、もう一つは4隻のうちの1隻は空母ではなく軽巡洋艦だったということです。直掩機は自らもアメリカの飛行機と交戦しながら成果を確認するので、そのような誤りが生ずるのもやむを得ないでしょう。3名の飛行機（零戦）はそこで特攻用として接収され、3名は翌26日武装していない輸送機でマバラカットに向かいました。4時間を越す飛行の後、マバラカット西飛行場で着陸態勢に入ったとき、背後から2機のグラマンに襲われ、撃墜されました。それゆえ敷島隊の体当たりについてはこれ以上詳しいことは分かっていません。

敷島隊の戦いの様子はYouTubeで見ることができます。大部分はアメリカ側で撮影されたものです。特に「マバラカットにて・敷島隊出撃の21〜25日」と「マバラカットにて・敷島隊の戦果」（内容はほぼ同じ）は特攻機の各艦への突入を図でもって説明しているので分かりやすい資料です。

「タフィ3」はこの日は大変でした。朝早くから栗田艦隊とぶつかり叩かれて逃げ出しました。するとと今度は見たこともないカミカゼ（敷島隊）の攻撃を受けて大損害を蒙りました。やっと終わったかと思うと、また日本のカミカゼ15機による特攻攻撃を受け、キトカン・ベイは小破、カニリン・ベイは2機から攻撃を受けて大破しました。ただ一番の問題は、栗田艦隊が空母6隻、駆逐艦7隻を基幹とするクリフトン・A・スプレイグ艦隊を撃滅させレイテ湾に突入するはずでしたが、栗田艦隊はスプレイグ艦隊に大きな損害を与えるとレイテ湾の入口で「謎の反転」をして北上してしまったことです。敷島隊は、何時間か前に栗田艦隊が戦ったスプレイグ艦隊を叩いたのです。しかし栗田艦隊は反転北上してしまったので、レイテ湾の米基幹部隊を叩くという作戦の成功にはつながりませんでした。この戦いでは栗田艦隊のレイテ湾突入こそが最大の目標でしたが、その目的は達成できず、捷号作戦は失敗し、連合艦隊の水上艦隊はほぼ戦闘能力を失うこととなりました。

緒戦の勝利と連合艦隊の壊滅

このフィリピンおよびフィリピン周辺海域で行われたレイテ沖海戦（10月23〜25日）で、日本は航空母艦をすべて失い、戦艦「武蔵」をはじめとする主力艦艇の大半を失いました。航空母艦4、戦艦3、重巡洋艦6、軽巡洋艦4、駆逐艦9を失って日本海軍の連合艦隊は事実上壊滅してしまいました。同時に南方の資源地帯と日本本土とは完全に遮断され、空母や艦船も作戦行動が不可能になりました。これに対してアメリカの損害は航空母艦1、護衛空母2、駆逐艦2、護衛駆逐艦1の沈没で、日本は最後の航空母艦4隻を失ったのに対して、依然として航空母艦34隻を中心にしたアメリカの機動部隊は無事だったのです。「レイテ沖海戦」は日米両軍が正面からぶつかった「最後の決戦」でした。それ以降はただ日本は守りに入り、米軍の猛攻撃によって壊滅していくだけの「戦い」になってしまいます。日本軍は各地で米軍と戦いました、日本軍はいつも陸軍と海軍とがそれぞれバラバラに戦っていました。それに対して米軍は常に陸、海、空の連携プレーでした。「レイテ沖海戦」の時も、米軍はこの連携でレイテ島上陸を敢行しているのを、日本側は知らなかったようです。

大西中将は敷島隊等の特攻作戦の成果を受けて、27日、29日には第二次神風特別攻撃隊をつくり、その後も特攻作戦を継続していきます。特攻機1機でもって空母セント・ローを撃沈したことは素晴らしいことです。しかしそれは偶然によるところも多かったのです。セント・ローの轟沈は甲板が木製の「護衛空母」であったこと、突っ込んだところが格納庫であったため特攻機の抱いていた爆弾が飛行機格納庫内で爆発し、爆弾や機銃弾、魚雷、高オクタン価のガソリンなどの弾薬庫に広がり8回もの誘爆を起こした末、同艦は二つに折れて轟沈したのです。しかし日本側は特攻を過大評価し、これに頼るようになりました。大西中将は特攻作戦をフィリピンの戦いに限った「この作戦限りのもの」と言ってきましたが、「日本が勝つ道はこれ以外にない。今後俺の作戦指導に対する批判は許さん。反対する者は叩き切る！」と押し切りました。しかしそれもやむを得ないことだったかもしれません。

敷島隊の特攻が戦果を挙げた後、大西中将は通常の攻撃で多くの航空隊を失った第二航空隊艦隊司令官の福留繁中将を説得して、現地で第一航空艦隊・第二航空艦隊を統合した「第一連合基地航空部隊」を編成し、神風特攻隊を拡大しました。しかし軍事力も劣悪な上に相互の連絡も悪く、圧倒的な米軍の軍事力に敗北しました。日本にはもう特攻しか対抗手段がなくなったのです。しかし零戦の消耗は激しく、みるみるうちに数を減らしていきます。とにかく飛行機は壊すために送り出すので、数は増えようがありません。そこで大西中将は上京し、３００機の増援を求めましたが、連合艦隊は飛行１００時間程度の搭乗員と教官から１５０機をかき集めることができただけでした。これらの隊員は台湾の台中・台北で10日間集中的に訓練された後、フィリピンに送られました。特攻機の発進基地は太平洋から台湾、そして本土へと後退していきました。

敷島隊等の特攻は最初のものだったので、特攻はかなりの成果を上げましたが、アメリカ側は特攻攻撃を阻止するためにいろいろと作戦を練りました。それは次のようなものです。

○ビッグ・ブルー・ブランケット（大規模戦闘機網）作戦。艦隊の前衛に戦闘空中哨戒機の配置、艦隊上空に絶えず戦闘機の配置、空母・輸送船の周囲50マイルにレーダーピケット、護衛駆逐艦の配置、日本軍の特攻基地の集中攻撃。

○レーダーピケット（レーダー警戒隊）作戦。戦艦や空母といった主力艦隊の外周に、レーダー搭載の駆逐艦等のレーダーピケット艦を配置し、特攻機が主力艦隊に到達する前に迎撃する。

○バイタルアーマー（枢要部分の鋼板装甲）作戦。大型艦の枢要部分を強力な鋼板で装甲する。このため特攻機は甲板等を貫くことができなくなり、これ以降、特攻によって沈没した戦艦、重巡、正規空母が1隻もなくなる。

米軍は、最初は不意をつかれましたが、右記の対策により次第にその被害を小さくするようになりました。レーダーの設備もなく、アメリカ側の暗号の解読もできず、特攻の成果は少なくなっていきました。第一航空艦隊、第二航空艦隊は特攻攻撃を実施しましたが、商船改造の護衛空母を撃沈したにとどまり、退勢を挽回することはできませんでした。有効率はフィリピン戦では26・8パーセントでしたが、沖縄戦では14・7パーセントでした。日本側は待ち受ける米軍機の間をすり抜けることができたわずかな飛行機だけが特攻行為を行うことができました。また特攻戦術を実施した10カ月間に、陸海両空軍で、２５５０機の特攻により連合軍艦船の各種タイプ４７４隻に命中させ、有効率は18・6パーセントだったといわれます。しかし「アメリカが（特攻により）被った実際の被害は深刻であり、極めて憂慮すべき事態となった」と、アメリカ軍の損害が極めて大きかったと総括しています。成功率は思った以上に高かったということで、１９４５（昭和20）年4月、沖縄決戦を迎えた段階では、特攻作戦は「全軍特攻」の様相を帯び、「白菊」という機上作業練習機（時速２３０キロメートル）や水上機、偵察機、下駄履き水上機、果ては複葉練習機など、特攻にはなり得ない低速機まで動員されました。しかし保存する大部分の飛行機を動員しながらも、特攻では日本の敗北を止めることはできませんでした。

沖縄戦の時、陸軍北（読谷）飛行場や中（嘉手納）飛行場で破壊された、たくさんの零戦の山を見ることができます。飛行機はあってもガソリンがなかったので、日本軍自らの手で爆破処分したのでしょうか。その飛行場は同年4月1日の米軍上陸後に真っ先に占領されました。もう米軍を迎え撃つ力もなかったのでしょうか。

資料によると、日本全体での出撃特攻機は３３７５機、航空特攻隊員の死亡者数は海軍２５３１

名、陸軍1417名、合計3948名となっています。他に死亡者は6418人、出撃人数は5000人前後ともあり、人数ははっきりと把握されていないようです。米兵の損害は9000人以上とあります。米艦船が受けた被害については、Wikipedia（「神風特別攻撃隊」）によると、撃沈艦54隻、除籍艦（廃棄艦）が22隻、損傷艦が359隻となっています。資料によって多少の違いがあります。

ここに面白い事例があります。特攻というとまず海軍が目立ちますが、陸軍の八紘隊の中の「靖国隊」が1944年11月29日に戦艦「メリーランド」に突入して、大破炎上させます。特攻機は雲の中から現れて急降下で突っ込んできます。しかし突入する寸前に、機首を上げて急上昇をはじめ垂直上昇してまた雲に入ると、こんどは太陽を背にして、真っ逆さまの急降下でメリーランドの第2砲塔に突入しました。特攻機はまったく対空射撃を浴びませんでした。射撃手は太陽が眩しくて撃てなかったようです。特攻は日本の武道の手法を用い、まるで太陽を背にして佐々木小次郎と戦った宮本武蔵のようです。

朝日新聞
神鷲の忠烈 萬世に燦たり
神風特別攻撃隊敷島隊員
敵艦隊を捕捉し（スルアン島海域）
必死必中の體當り
聯合艦隊司令長官 殊勲を全軍に布告
機・人諸共敵艦に炸裂
誘導の護衛機、戦果確認
廿四歳以下の若櫻

特攻の成果を報ずる朝日新聞（1944年10月29日付）

四、「軍神」になった特攻隊員

敷島隊が突入した3日後の1944（昭和19）年10月28日午前3時、海軍省の連合艦隊司令長官は全軍に布告します。最初に敷島隊隊員5名（関行男、中野磐雄、谷暢夫、永峰肇、大黒繁男）の名前を挙げ、「必死必中の體當り攻撃をもって航空母艦一隻を撃沈、同一隻炎上撃破、巡洋艦一隻轟沈の戦果を収め悠久の大義に殉ず」と戦果を記します。

この布告はすべての新聞で報道されました。例えば、日向日日新聞（宮崎日日新聞の前身）は次のような見出しをつけています。「神風特別攻撃隊員の殊勲 ―― スルアン島（レイテ湾の小島）で空母など三艦屠る ―― 敵艦隊に必中體當　忠烈萬世に燦たり」（10月29日付）。実際に轟沈させたのは1隻（同3隻中小破）ですが、海軍省では2隻になり、日向日日新聞では3隻になっています。話は広がるごとに大きくなっています。

その雰囲気が分かるように10月29日付の「朝日新聞」の1面トップを紹介しておきます。

この大成果は敗戦気分を払拭しました。同月26日、及川古志郎軍司令部総長はこの成果を天皇に上奏しました。天皇は神風特別攻撃隊のことは事前に知らされていませんでしたが、「そのようにまでせねばならなかったか。しかしよくやった」と御嘉賞(ごかしょう)の言葉を述べました。この言葉は全軍に送られ、戦意を鼓舞しました。また30日には、天皇が米内海軍大臣に、「かくまでせねばならぬとは、まことに遺憾である。神風特別攻撃隊はよくやった。隊員諸氏には哀惜の情にたえぬ」と述べました。この海軍省の布告をもって特攻作戦は正式なものとして認められ、11月には陸海軍航空隊の全軍に波及していきました。

「敷島隊」は何故特攻第一号になったか

このように敷島隊は特攻第一号として大々的に報道されますが、これには裏があるのです。敷島隊は10月25日7時25分にルソン島マバラカット基地を飛び立ちましたが、その55分前の6時30分には、ミンダナオ島第一ダバオ基地から「朝日隊」「山桜隊」、第二ダバオ基地から「菊水隊」、セブ基地から「大和隊」が飛び立ち、7時40分にレイテ湾南東沖で第七艦隊護衛空母群第1集団「タフィ1」(護衛空母6隻、駆逐艦3隻、護衛駆逐艦4隻)に突入します。詳しく見てみましょう。

特攻機が「タフィ1」を発見しました。この時トーマス・スプレイグ少将は栗田艦隊と戦う「タフィ3」から応援援助を受けましたが全機他所へ発進した後だったので、これを呼び戻そうとしていました。7時40分でした。その時6機のカミカゼが突然現れ急降下攻撃体勢に入りました。その中の1機の「菊水隊」(宮川正一飛曹か加藤豊文一飛曹)が対空砲火を浴びることなく護衛空母サンティの飛行甲板に体当たりして中破させました。「菊水隊」のもう1機は、護衛空母スワニーに突撃態勢をしている間に一発の対空砲火を受け、煙を吐きながららせん状に降下し45度の角度で突入しましたが、対空砲火を浴び、もんどりうって海上に落下しました。3機目がスワニーの飛行甲板左舷(右舷)側に体当たりして大破炎上させ後部エレベーターを使用不能としました。「朝日隊」の上野敬一一飛曹はスワニーに突っ込みましたが対空砲火で横転し、右舷側の後部エレベーター前方に突っ込みました。爆弾は飛行甲板と格納庫の間で爆発し、多数の死者を出し、後部エレベーターは使用不能となりました。これが神風特攻隊最初の戦果ですが、「世界第一号」の名誉は、出撃時刻で約1時間、攻撃時刻で約3時間遅れた敷島隊にゆずる形となりました。

この菊水隊、朝日隊の特攻攻撃は敷島隊と同じ10月25日のことですが、神風特攻隊が19日夜に大西中将たちによって創設された翌々日の21日、セブ基地では特攻隊大和隊が発進しようとしています。スルファン島東方に敵機動部隊が発見されたのです。隊長久納好孚中尉(学徒出身・法政大・予学11期)は攻撃隊員2名、直掩隊員2名とともに発進直前にありました。中島飛行長の長い訓示が続いていていました。その時、零戦はグラマン戦闘機の襲撃を受け燃え上がりました。久納中尉は無傷の零戦3機に爆弾を装備させると直掩機2機と一緒にグラマンの後を追いました。彼らを追っていけば米空母がいます。天候が悪化してきたため2機は引き返しましたが、普段から「空母が見つからないとレイテ湾に行く。そこには必ず艦船がいるから自分は絶対に還ってこない」と言っていた久納中尉はそのままグラマンが飛んで行った方向を追っていきました。この日、レイテ湾内ではオーストラリアの重巡「オーストラリア」が午前7時前後に日本特攻機の攻撃で被害を受けています。突入時間が合いませんが、神風特別攻撃隊の第一号はこの久納中尉であるという主張は強いです。しかし公式には認められないので、「特攻0号の男」とも呼ばれています。

このように敷島隊より早く突撃したにもかかわらず、海軍省（連合艦隊司令長官）は敷島隊を「世界最初の特攻隊員」として全軍に布告します。その理由は何だったのでしょう。

敷島隊直掩の西澤飛曹長から伝えられたように、敷島隊の戦果は「疑問の余地なく上層幹部も予想していなかった大戦果」でした。その上、隊員全員の戦闘状況が明確だったのは敷島隊だけでした。それで敷島隊が「世界最初の特攻隊員」となったと考えられますが、意外なことに、成果よりも誰が成したかということがもっと重要だったのです。成果を挙げたのは海軍兵学校（海軍軍人の最高学府）出身でなければならないということです。海軍指導部は「海兵」出身者で占められています。それに対して、特攻隊は予科練出身の航空兵や予備学生、少年飛行兵などの「消耗品」から成っているので、彼らの戦果にはできません。関大尉が特攻隊全体の隊長に、同時にまた「敷島隊」の隊長になったのは関大尉が海兵出身だからです。その後は、海兵出身者が特攻機の隊長になることはなかったようです。軍上層部は同窓の海兵出身者は死なせたくありませんでした。海兵出身者であるのに関が選ばれたのは、関はいわゆる「外様」だったからと思われます。

つまり関は空中で華々しく戦う戦闘機乗りではなく、「艦爆乗り」でした。それで直掩隊指揮官には、ラバウルで海軍の撃墜王と勇名を馳せた西澤飛曹長をつけました。どうやら「敷島隊」が一番大きな戦果を挙げて、「世界最初の特攻隊員」になることは最初から仕組まれていたようです。海兵出身者が指揮する「敷島隊」以外を第一号にすることは絶対になかったのです。菊水隊の宮川正一飛曹、加藤豊文一飛曹、朝日隊の上野敬一一飛曹が敷島隊の前に戦果を挙げていても、予備学生と予科練出身の航空兵では成果にならないのです。筋書きは既に軍令部で決まっていました。この筋書きは海軍大臣米内光政大将と軍令部総長及川古志郎によるものでした。

空母セント・ローを撃沈させたのは隊長の関行男というのが通説になっていて、彼は「世界最初の公式人間爆弾」とも言われますが、関が激突したのは空母キトカン・ベイだったようです。

特攻を送り出す時、少なからぬ司令官が「お国のために死んでこい。俺も後から必ず行く」と言って送り出しましたが、特攻機に乗って突っ込んだ司令官はごくわずかでした。そういう中で「特攻の父」と言われた大西瀧治郎長官（中将）だけは1945（昭和20）年8月16日、つまり日本の敗戦の翌日、東京の軍令部次長官舎にて「特攻隊の英霊に曰す。善く戦ひたり、深謝す。最期の勝利を信じつつ肉弾として散華せり。然れども其の信念は遂に達成し得ざるに至れり。吾死を以て旧部下の英霊とその遺族に謝せんとす」という遺書を残して、介錯なしで割腹し10時間後に息を引き取りました。享年55でした。大西中将は「前途有為な青年をおおぜい死なせた。俺は地獄に落ちるべきだが、地獄の方で入れてくれんだろう」と言ったとのことですが、地獄は受け入れてくれたのでしょうか。大西も神風特攻隊の戦死者として名簿に記載されました。

なお、大西中将は体当たり攻撃を発案して実施したので「特攻の父」となっていますが、既に見たように、その方針は海軍中央が組織として承認し、その上には元帥会議があったのです。しかし戦後、最高指導者層は大西中将が自決したのを幸いに、その責任のすべてを大西に押し付けて、自らの関与を完全に否定し続けました。

金鵄勲章と神風手拭い

金鵄勲章を付けた肇

功五級金鵄勲章

宮崎市新名爪（にいなづめ）の永峰家には勲章を与えると記した賞状とその勲章を付けた肇の肖像画が掛けられています。賞状には「海軍飛行兵曹長　長峯（ママ）肇　大東亞戦争ニ於ケル功ニ依リ功五級金鵄勲章及勲七等青色桐葉章ヲ授ケ賜フ　昭和十九年十月二十五日　賞勲局総裁正四位勲二等瀬古保次」とあります。日付は肇が戦死した10月25日です。

戦死した敷島隊全員にはいわゆる「功五級金鵄勲章」と「勲七等青色桐葉章」が下賜されたのでしょう。金鵄勲章は武功抜群の陸海軍軍人に下賜される勲章で、功一級から功七級まで七段階あります。特攻隊員はこれで「英霊の中の英霊」となりました。「鵄」は神武天皇東征の折に、天皇が長髄彦と戦っている際、天皇の弓の先にとまり、その身体が発する光で長髄彦の兵たちの目をくらませ、天皇軍を勝利させたという金色のトビのことです。金鵄勲章の飾りの頂点には小さな鳶がおり、四方八方に光の矢が飛び出しています。しかし１９４７（昭和22）に旧来の顕彰は廃止となりました。それで改めて１９６６年に肇を勲七等に叙し青色桐葉章を贈りました。これらの勲章をもらうということは最高の栄誉で、遺族は悲しみの中にも大きな誇りを感じたものと思われます。

また、永峰肇の実家には大きな額縁に入れられた「神風ヲ贈ルニ當リテ」と書かれた「檄文」が掛かっています。肇たちが特攻死したのは１９４４年10月25日ですが、その年の12月８日には、軍需省航空兵器聰局長官遠藤三郎から遺族のもとに神風手拭いと「檄文」が送られてきました。肇の弟の重信さんはそれを額縁に入れて今も大事に飾っています。なかなか興味ある内容ですので、長くなりますが、最初に全文を紹介しましょう。

神風特別攻撃隊、忠勇、義烈、純忠、至誠、誠忠の搭乗員三十名其の必死必中体當りの壮圖（規模が大きくて立派な計画）に出撃せんとするや其の所持せる有金全部の献金を申出ず同隊司令木田大佐感激を以て之を受領し艦隊副官の手を経て現金の儘本職宛送附し来る之れ若き神鷲等が最後の門出に今生に持てる一切を君國に捧ゲ盡さむとせるものなり而も尚更に銃後生産陣の労苦を偲び其の負擔を軽減せんとして心中自爆に要なき装備兵器さへ之を愛機より取外さんことを申出でたりと聞く

嗚呼清澄神の心境、之を聞き之を想ふて泣かざるものありや、崇高無比純忠至誠の神風精神、之を銃後に傳へ生産陣に徹せしめんが為め神鷲の志を織込みたるもの即ち此一筋の手拭なり今や神鷲南溟（南方の海）に散華して又還らず庶幾くば此手拭を通して萬世に燦たる殉國の大精神に觸し且幽明處を異にせんとする（あの世とこの世とに別れる）必中の一刹那に於ける心境を肝に銘ぜしめんことを

即ち此手拭は唯單に己が頭に鉢巻せんが為に非ず己が心魂に鉢巻して自ら神風となり一つは以て悠久の大義に殉ぜる隊員の英靈に應へ一つは以て隊員が屍を越えて米英撃滅の闘魂を燃え上らせんが為なり、手拭神風分與に當り英靈に合掌し其の由来を誌すこと斯くの如し

昭和十九年十二月八日　軍需省航空兵器聰局長官　遠藤三郎

この「檄文」と手拭いは特攻で戦死した隊員の遺族に届けられたものですが、まず冒頭では、特攻隊員の最期の様子が描かれています。それは死ぬと決まっている者の所持品の問題です。隊員は残った「所持セル有金全部」と「今生ニ持テル一切」を国に献じたというのです。特攻隊員自身は

本当はそれを遺品として家族に届けてほしかったのではないでしょうか。ところがお金は国家に取り上げられ、衣類などは新入隊員にでも廻されたのでしょう。

また「自爆ニ要ナキ装備兵器サヘ之ヲ愛機ヨリ取外サンコトヲ申出デタ」とあります。特攻機は死ぬことが前提でしたから、元もと片道燃料しか与えられていません。しかし敵機が迫ったり、突入の時には機銃が必要です。敵艦への突入時はダダダダダと機銃を掃射し、敵の反撃を抑えると同時に、その銃弾の線に沿って飛行機を突入させるのです。そうでなければ敵艦に達する前に撃ち落とされてしまいます。最初は機銃もあり、直掩機もついていましたが、後半になると機銃も外され、直掩機もつかなくなりました。特攻に必要でないものは250キロ爆弾以外一切合切、取り外されていったようです。それを軍部は「銃後生産陣ノ労苦ヲ偲ビ其ノ負擔ヲ軽減セントシテ」隊員が自ら申し出た「美談」に変えてしまいます。

死に向かう特攻隊員の気持ちを「清澄神ノ心境」と讃え、「之ヲ聞キ之ヲ想フテ泣カザルモノアリヤ」と結びます。死を選ぶ他に道はなかった特攻をこんな「美談」にしてしまうのはどうでしょうか。特攻隊員が最後にどんな扱いを受けたかを知るには、美談から「虚飾」を剝ぎ取る必要があります。

特攻で飛び立つ時、特攻隊員は皆赤い日の丸の入った手拭いの鉢巻をしていました。それで軍需省は遺族に手拭いを配りました。しかしそれはただの手拭いではなく、「之ヲ銃後ニ傳ヘ生産陣ニ徹セシメンガ為メ神鷲ノ志ヲ織込ミタルモノ」だと言います。国民は「此手拭ヲ通シテ萬世ニ燦タル殉國ノ大精神ニ觸シ」、特攻隊員の「心境ヲ肝ニ銘ゼシメ」、「己ガ心魂ニ鉢巻シテ自ラ神風トナリ」、「米英撃滅ノ闘魂ヲ燃ヘ上ラセ（ヨ）」と言うのです。要するに、遺族も戦死した身内の特攻隊員に続き、鬼畜米英との戦いに邁進せよということなのです。これはまさに増産と戦いへの「檄文」で、身内を失った家族の悲しみに触れる言葉は一つもありません。このような時代だったので、この時代に育った若者はそれを信じ、お国のためと思って死んでいったのです。

念のためこの送り主を見ると、軍需省航空兵器聰局の長官でした。すなわち戦地へ航空兵器を調達して送る戦争屋の大元締めでした。

「軍神」の家

敷島隊の戦果報道は、国民の間に漂うどんよりとした敗戦気分を一掃しました。特攻で死んだ敷島隊隊員は皆「軍神」と呼ばれるようになりました。どの「軍神」の家にも引きも切らずに弔問客が訪れました。宮崎の永峰家にも、「軍神」のプレートが貼られ、10月28日、ラジオで放送されるやいなや礼服と勲章をつけた村長が駆けつけました。それから知事、在郷軍人、警察署長、役所の幹部、町村長が続々と参り、村の人々、生徒を連れた学校の先生たちが遠くから近くからやってきて、両親は40日の間弔問客の接待で大変でした。

その時の写真は永峰家には残っていないので、関行男の家の写真を見てみましょう。「軍神関行

関行男の自宅で弔問客を
迎える母サカエ

男海軍大尉之家」と書かれた柱が立ち、お母さんは笑顔と正装で客を迎えています。そのプレートの前では、バスが止まって乗客は最敬礼をし、道行く人はみんなお辞儀して通りました。どの「軍神」の家もそうだったのでしょう。

敷島隊の特攻は国民学校でも大々的に取り上げられました。宮崎県の学校だけでなく、全国の学校生徒から永峰家に感動や激励の手紙が寄せられました。その一つを紹介します。

朝夕大分寒くなりました。皆さまおかはりございませんか。このたび神風特別攻撃隊の勇士が飛行機とともに、敵巡洋艦にたいあたりして名誉の戦死をなさいましたことを聞き、思はず涙が、流れました。そして、出発する時に、よかれんの歌を歌って、勇ましくお別れになったと先生がおっしゃった時、胸がいたむやうでした。男子は言ふまでもなく私どもみんな一生けんめい勉強して、りっぱな国の少女となるやう心がけます。日本は尊い神の国です。次から次と攻撃隊のお方のやうに、多くの勇士が続いてかならず米英を討ちほろぼして、日本の勝利に終はることは、火をみるよりも、明らかです。今度の五勇士の戦死がどれだけみんなの心を強くしたことか、ほんとうにありがたいのとうれしさに一生の私どものお手本として、わすれはしません。どうぞこれから、寒くなりますからお体を大切に、なさいませ。

（広島市中島国民学校初四出崎組　井上政恵）

手紙は全国から来ました。とくに国民学校の生徒の手紙が多かったようです。この手紙にもあるように、全国の学校で5軍神を讃える授業が行われていたことが分かります。そして生徒はもちろん国民全体が5軍神の「偉業」に奮い立ったのです。

永峰肇の両親に寄せられた幾つかの手紙を読むと、あの時代の空気がよく分かります。「鬼畜米英を討て」「日本は尊い神の国」「日本はかならず勝利する」「お国のために」「東亜永遠の平和建設」「立派な小国民となる」……。政府の意図したとおり、日本中がこれらのスローガンで燃え上がるのです。若者の死が戦争意識の高揚に利用されました。しかし情けないことに皆同じスローガンです。すべての日本人の思考が一つにパターン化していました。思考力の喪失です。むごく悲しい時代でした。

しかし戦後、事態は一変して、軍神は忘れられ、または無視され、「軍神」の家には訪れる人もなくなり、人々の口にのぼることもなくなりました。それどころか「軍神」は日本の侵略戦争を遂行した「戦争協力者」とか、多くの兵隊を殺した「戦争犯罪人」という批判を浴びせられることもありました。敷島隊の隊長関行男の場合も同じで、関大尉の妻は再婚し、母のサカエは衣類を闇米に代えて生き延び、草餅を作って売り歩きました。晩年は西条市の小学校に小使いとして住み込みで働き、1953（昭和28）年11月還暦を前に亡くなって関家は断絶しました。

辞世の句

永峰家に肇の遺品が届けられました。木箱には写真と、辞世の歌と手紙が入っていたようです。肇が特攻で戦死したのは1944（昭和19）年10月25日ですが、特攻攻撃が始まったのは同月21日で、左の写真はその最初の出撃前に撮影されたものと思われます。21日、22日、23日、24日は敵艦隊が見つからず帰投しました。

肇の辞世の歌は。元もと彼がマバラカット基地で使った自分の専用飛行機に彫っていた歌を整備兵（浜田胤二整曹）が見つけて書き留めておいたものともいわれます。後の特攻隊員は出発の前夜に家族への遺書を書かされ、その中には辞世の句を詠んだものも少なくありませんでした。

肇の「辞世の句」を見てみましょう。

「南溟（なんめい）」（南の大海原）にたとえこの身は果つるとも

いくとせ後の春を想えば

肇の最期の写真

この歌は見事に当時の特攻隊員の気持ちを表しています。特攻隊員はいつも死の恐怖に晒されました。恐怖を克服するために「死の意味」について懸命に考えました。そしてたどり着いたのは、自分は天皇のため、お国のために、日本の未来のために、つまり自分の命よりもっと価値あるもののために死ぬということです。ですから特攻隊員が遺した歌や手紙はひとつの型にはまったところがありますが、それは本人にとっては真実なのです。肇の辞世の歌も例外ではありません。この頃、フィリピンで、空母も飛行機もほとんど持たない日本艦隊は飛行機も空母も山とある米軍と戦って敗北を重ねています。もし日本艦隊が敗れると米艦隊は一気に日本に迫ります。この状況が一層「日本を守る」ためという意識を強めたのです。特攻隊員に限らず当時の兵士は皆そう考えました。よもや日本の軍国主義崩壊の後に、天皇制よりはるかにいい民主主義の時代が来るとは考えられませんでした。戦争での敗北は「日本の破滅」としか考えられなかったのです。

一方では生きたい、死にたくないと思いながらも、他方では自分たちは「お国」のために、日本の将来の繁栄のために、天皇のために戦う義務があるということで自分自身を納得させたのです。それは軍国主義教育の教えるところそのものでした。関行男は天皇ではない、自分のＫＡのためにこそ死にに行くんだと語っていましたが、多方では教え子へ、「教へ子よ散れ山桜此の如くに」という内容の遺書・辞世の歌を遺しています。当然ですが、ＫＡのために死ぬことは天皇のために死ねという点では大して変わりがなかったのです。当時の若者は皆、お国のための戦争だ、愛するものを守るための戦争だ、家族とわが故郷を守るためだと言われ、「聖戦」に命を捧げよと信じさせられましたが、実際は「侵略戦争」そのものでした。しかしそう思いながらも、この「南溟に」の歌を読み直すととても悲しい気持ちになります。戦争に勝ちさえすれば「春」が、すなわちもっといい時代が来ると信じていたのです。しかしこの「春」には「お国」とか「大君」という内容は一言もありません。それだから「お国」とか「大君」と言わずに「いくとせ後」に「春」が来るとひたすら信じていました。その姿には痛ましいものを感じます。

永峰肇はこの「春」が「お国」とか「大君」を指すのは当然知っていたでしょう。しかしそうでありながら、それを直接書かず「春」という言葉で置き換えると他のさまざまのニュアンスが出てくることを知っていたのです。この歌からは肇の才能が感じられます。しかしこのような有能な若者を死なせるとは、戦争は決して許されません。また肇は「南溟」と書きましたが、時が経過するなかで分かりやすい「南海」に変わっていったようです。

若者たちは当時ひとつの「鋳型」に嵌め込まれていたということを端的に示すのは、昭和19年に創られた軍歌「嗚呼神風特別攻撃隊」です。その歌詞を見てみましょう。

嗚呼神風特別攻撃隊（NHK報道歌謡／昭和19年　作詞：野村俊夫　作曲：古関裕而）

1. 無念の歯噛み堪えつつ　待ちに待ちたる決戦ぞ　今こそ敵を屠らんと　奮い立ちたる若桜
2. この一戦に勝たざれば　祖国の行く手いかならん　撃滅せよの命受けし　神風特別攻撃隊
3. 送るも行くも今生の　別れと知れど微笑みて　爆音高く基地を蹴る　ああ神鷲の肉弾行

4．大義の血潮雲染めて　必死必中体当り　敵艦などて逃すべき　見よや不滅の大戦果
5．凱歌は高く轟けど　今は帰らぬますらおよ　千尋の海に沈みつつ　なおも皇国の護り神
6．熱涙伝う顔上げて　勲を偲ぶ国の民　永久に忘れじその名こそ
　　　神風特別攻撃隊　神風特別攻撃隊

ここでは、若者が命を捧げるのは「祖国」「大義」「皇国」だとはっきりと書かれています。若者たちは「若桜」「神鷲」「ますらお」「皇国の護り神」とおだてられ、「永久に忘れじその名こそ」と美化され、「微笑みて基地を蹴る」で、さあ、死んでこいと尻を蹴られるのです（YouTube で視聴できます）。

兄への想いを胸に

1984（昭和59）年、『敷島隊』の著者の森史朗氏は宮崎市新名爪の永峰家を訪ねました。弟の重信さんと妹の和子さんは独立し、父萬作（82歳）と母ステの2人住まいでした。仏壇の前に手を合わせる2人は特に小さく見えたようです。終戦から67年、森氏の訪問から28年の歳月が流れた2012（平成24）年7月、筆者は宮崎市新名爪の永峰重信宅を訪ねました。もう肇の時代の農家ではなく、おそらく重信さんの建てた家でしょうか、現代風の建物でした。それでも今にも肇が現れ出てくる感じがしました。肇のご両親は既に亡くなっており、永峰重信さんが1人で住んでいます。重

信さんは元校長先生でした。肇から「あの可愛重信の通学姿が目前に浮かんで参ります」と書かれた末っ子の重信さんでしたが、今は相応の年齢になっていました。肇の次弟の福美さんは若くして亡くなったので、重信さんが永峰家を継ぎました。奥様は既に他界されていました。

壁には、遺品として送られてきた肇の最期の写真、青色桐葉章（表彰状）、神風手拭いの分与（賞状）などが飾られていました。

重信さんは戦争体験を語る講演で多忙です。私と重信さんとの出会いもその講演を聞きに行ったことがきっかけでした。重信さんは「兄の想いを胸に」と題して永峰肇のことを書いています。永峰肇に関する部分を見てみましょう。

「南海にたとえこの身は果つるとも幾と世後の春を想えば（永峰 肇）」この辞世の句は、残された私と妹二人への遺言となりました。小学校時代は、あまり自覚はしませんでしたが、全校生徒が「永峰軍神を称える歌」を歌ってくれました。（中略）

教職四十年間、兄の辞世の句を上着の内ポケットに忍ばせ、私のお守りにしてきました。靖国神社参拝を機に神官さまに預けて参りましたが、私の心の支えになったことは事実です。靖国神社を参拝される方は、日本人ばかりかと思いましたが、外国人の方々も多く、茶髪の若い女性もあり、まさにグローバル化された靖国神社の感がします。不戦のシンボルとしての靖国神社であってほしいと思います。

重信さんは多くの場所で兄の肇について語っていますが、一番感銘を覚えるのは、「兄の辞世の句を上着の内ポケットに忍ばせ、私のお守りにしてきました」とあるように、兄肇の死を今もって深く悼んでいることです。辞世の句は重信さんにとって「心の支え」になったのです。重信さんに、年の離れた兄肇の記憶はどれほどあるのか分かりませんが、兄の死について考え、そして人々に語るなかで、心の中で兄の存在はますます重いものになっていったのでしょう。筆者も同じ道をたどりました。筆者の父は沖縄戦で戦死しましたが、父の戦死の地沖縄を何度か訪ね、父の身内や友人たちに父の思い出を書いてもらい、それを一冊の本『有珠岳に育くまれて』にまとめるなかで、顔を知らぬ亡父は私の胸の中に甦りました。思い出の本を作っている間、父はいつも筆者の傍らにいました。重信さんも同じ気持ちだったと思います。

靖国神社は「戦争神社」とも呼ばれ、若者を戦争に駆り立てた神社でした。しかし重信さんは、「不戦のシンボルとしての靖国神社であってほしい」と書いています。「軍国主義」の再来を意図する人々は、戦前のように靖国神社を再び若者を戦争に駆り立てる道具として利用したいのでしょうが、そこに祀られている英霊の遺族の多くは必ずしもそう思ってはいないのです。「不戦のシンボル」であってほしいのです。これを読んで目が開かれる思いをしました。

歴史というものは、時が経てば徐々にそのイメージが画一化されるものです。「戦争」「軍隊」

ります。

「特攻」……。それぞれの言葉について、誰もが同じようなお決まりのイメージを抱くようにな

三百万人の人が戦死したという事実さえも、固定化された数字でしか捉えられなくなってしまいます。しかし、三百万人の犠牲とは、三百万という途方もない数の人生が失われたということです。それぞれに仕事や学業があり、将来の夢があり、大切にしている家族があったのです。

それらは、ものすごく多様なものであり、六十五年も経った現在でも被爆に苦しむ遺族参加者もいらっしゃいました。戦争によって人生をほんろうされた無数の人々。それらを画一化されたイメージで捉えることをしてはならないことを改めて知りました。

重信さんは「三百万人の犠牲とは、三百万という途方もない数の人生が失われたということです。それぞれに仕事や学業があり、将来の夢があり、大切にしている家族があったのです」と書いています。そのとおりです。300万人は永峰肇のような人が、筆者の父のような人が300万人死んだということなのです。みんな生きている人間であり、みんな生きたかったのです。重信さんのこの文章を読んだ時、永峰肇には重信さんのような弟さんがいて本当に幸せだと思いました(筆者の父もそう思っていてくれたらとても嬉しいです)。

世界で初めての特攻隊員を兄に持つ重信さんは、今は戦争の「語り部」として忙しい日々を送っています。私に下さった葉書から活躍の一端を紹介したいと思います。

さわやかな秋になりました。護国神社も菊の花でいっぱいになりました。

本日は住吉の神楽の集いがあり終日を神楽鑑賞で過ごしました。本二冊確かにいただきました。

二十五日が五軍神（永峰肇など敷島隊の5名）の六十八回目の命日です。隊長さんの出身が愛媛の西条ですので二十三日から出発し関隊長さん、大黒軍神の墓参りをすませ、二十五日の慰霊祭に臨もうと思っています。

帰国後は宮崎市の慰霊祭に参加の予定です。まずは近況報告まで。

敬具

お兄さんの肇が戦死してから60数年を経てもなお、重信さんの心は兄への思いでいっぱいです。兄肇の遺詠の歌に対して、重信さんはようやく返歌を読むことができました。

「君がため花と散りにしますらおの見せばやと思う御代の春かな」

（＝天皇のために花と散った立派な男子に現在の平成の繁栄をぜひ見せたいと思う……）

五、神風「敷島隊」の慰霊碑

永峰肇がその隊員であった敷島隊は、世界で最初の特攻隊であったということで、その慰霊碑は隊員の故郷だけでなく、特攻隊の基地があったフィリピンにも造られました。まず宮崎のものから見てみましょう。

「軍神」に祀られて

宮崎市内には二つの永峰肇の慰霊碑があります。一つは宮崎空港西端の宮崎特攻基地慰霊碑の中にあり、「永峰肇軍神奉賛碑」です。もう一つは宮崎県護国神社にある碑です。この二つにはかなりの共通点があります。上段には辞世の句が刻まれ、下段には碑文が刻まれています。

二つとも辞世の歌は次のとおりです。

南海にたとえこの身は果つるとも
いくとせ後の春を想えば
永峰　肇

そして二つの永峰肇の碑の「碑文」はほぼ同文です。「奉賛会」を紹介します。

神風特別攻撃隊のさきがけ敷島隊は世界最初の公式人間爆弾となり、昭和十九年十月二十五日国家悠久の大義に殉じ、世界恒久平和の礎となった。

敷島隊四番機の永峰肇飛行兵長は、大正十四年四月一日宮崎郡住吉村（現宮崎市）永峰万作・ステの長男に生れ十九歳で特攻戦死され、海軍飛行兵曹長に特進、功五級金鵄勲章・勲七等青色桐葉章を受け（感状及び短刀一振を授かり）軍神の称号を贈られた。

平成八年四月吉日

永峰軍神奉賛会

永峰肇軍神奉賛碑

永峰肇軍神奉賛碑

護国神社の碑文は、最初の碑文に「感状及び短刀一振を授かり」が付け加えられただけです。碑文の最後に永峰肇は、天皇制政府から、武功抜群の軍人にしか与えられない金鵄勲章と、勲七等青色桐葉章を与えられ「軍神」になったとあります。「軍神」という名誉とか、キラキラ輝く勲章は人間に死への恐怖を超えさせる魅力を持っています。

碑文の「国家悠久の大義」とか「世界恒久平和」という言葉はくせものです。永峰肇もまたフィリピンでの戦いは米軍から祖国を守る戦いと信じて命を捧げたのでしょうが、元もとそれは日本から仕掛けた戦争だったのです。侵略戦争は「大義」などとは言えません。「世界恒久平和」は戦争をしないで守る平和ではなく、日本の勝利で相手を屈服させて得る「平和」という意味なのです。しかし、若者はそのような言葉に酔う傾向があるから注意しなければなりません。碑文はこのような「高尚」な言葉を重ねますが、思いがけない箇所で本音をあらわにします。特攻攻撃を「人間爆弾」と呼んでいるのです。人間と爆弾が一体となった爆弾。爆発すると人間は必ず死ぬという残酷な爆弾です。

護国神社の碑の裏面に永峰肇と一緒に特攻攻撃に出て戦死した「敷島隊五軍神」の名前があります。10月28日、海軍省が布告したのと比べると、次のような違いがあります。

敷島隊五軍神

隊長　関行男　大尉（後中佐昇格）　二十三才　愛媛県西条市

中野磐雄　一等飛行兵曹（後少尉昇格）　十九才（二十才）　福島県原町
谷暢夫　一等飛行兵曹（後少尉昇格）　二十才（十九才）　京都府舞鶴市
永峰肇　飛行兵長（後飛行兵曹長昇格）　十九才　宮崎県住吉村
大黒繁男　上等飛行兵（後飛行兵曹長昇格）　二十才　愛媛県川滝村

名前だけでなく年齢と出身地が加えられました。これを見て驚くのは特攻隊員の年齢の若さです。まだ19歳、20歳です。まさにこれからの人生です。まだ16、17歳の少年で散った特攻隊員も少なくありませんでした。特攻隊員は全国各地から集められました。ここでは愛媛、福島、京都、宮崎から来ています。特攻作戦ではパイロットが次々と死ぬので、全国から補充しなければ間に合わなかったのです。

また海軍省布告では関行男は大尉でしたがここでは中佐に、永峰肇は飛行兵長から兵曹長にというように全員2階級特進になりました。遺族は悲しみの中にありながらも、それによって慰められ、また特進を誇りとしました。筆者の戦死した父も2階級特進しました。父が死んで一番悲しんだのは筆者の母と亡父の妹でした。父の両親は早くに亡くなったので、父の妹はずいぶん年の離れた兄に育てられました。それで長兄を実の父親のように慕ったのです。彼女もまた父の2階級特進を一番誇りにしていました。こうして「2階級特進」は遺族の悲しみを和らげるのにとても役立ちました。

関行男慰霊之碑と共に

敷島隊の隊長であった海軍中佐・関行男のふる里は愛媛県西条市ですが、１９７５（昭和50）年３月21日、同市の楢本（ならもと）神社に立派な「関行男慰霊之碑」が建立されました。まず碑文から見てみましょう。

関行男慰霊之碑

人類六千年の歴史の中で、神風特別攻撃隊ほど人の心をうつものはない。「壮烈鬼神（荒々しく恐ろしい神）を哭（な）かしむ」とはまさにこのことである。この種の攻撃を行った者は、わが日本民族を除いては見当たらないし日本民族の歴史においても、組織的な特攻攻撃は国の命運旦夕（たんせき）（危機または危急が今朝か今晩かと切迫するさま）に迫った大東亜戦争末期以外にはない。憂国の至情に燃える若い数千人の青年が自らの意志に基づいて絶対に生きて還ることのない攻撃に赴いた事実は、真にわが武士道の精髄であり、忠烈万世に燦たるものがある。

特攻は人類6千年の歴史の中でこの戦争の末期にしかなかったという歴史的視点や、また日本民族以外にはないという世界的視点から見たということはこれまでにない視点です。しかしそれは称賛できることでしょうか。人類6千年の歴史にも、また日本民族以外にもなかったということは、日本民族以外の民族や過去6千年の歴史はこれほど残酷な「人間爆弾」というものを許してこなかったということではないでしょうか。あの時、日本民族は世界が許してこなかった「禁」を破ったのです。

関行男慰霊之碑の左右には先端を赤く塗った250キロ爆弾2本が置かれています。見えるでしょうか。ゾッとします。慰霊碑と爆弾は共存できるものではありません。碑文はまた「絶対に生きて還ることのない攻撃に赴いた事実は、真にわが武士道の精髄であり」と言っていますが、軍国主義の思想は非常に根が深いことを示しています。

この関行男慰霊之碑は「五軍神慰霊碑」とも呼ばれているように、ここは関中佐とともに米艦隊に突っ込んだ「敷島隊員」5名の慰霊碑なのです。その証拠に関中佐の慰霊碑の周囲には250キロ爆弾が4本地面に突っ込む形で建てられています。これが隊長を除いた敷島隊員4名の慰霊碑で各爆弾には名前等が記されています。「永峰肇命碑」を見てみましょう。「神風特攻敷島隊4番機海軍飛行兵曹長　永峰肇命碑　宮崎県宮崎市出身　行年19才」。死んでまでも250キロ爆弾を抱かされているとは、楢本神社はまさに戦争神社です。楢本神社全体がそうなのです。次に肇の辞世の句が使われている例を見てみましょう。

人間魚雷回天訓練之地

日南市南郷町の外浦（とのうら）港は戦前、第三三突撃隊人間魚雷回天の基地で、その上を走る国道448号の脇に「人間魚雷回天訓練之地」と刻まれた石塔が建っています。

「人間魚雷」というのは人間が中に入って操縦する大型魚雷のようなもので、魚雷の本体に外筒を被せ気蓄タンク（酸素）の間にスペースを設け、そこに操舵者を乗り込ませます。「回天」は全長14・7メートル、直径1メートル、排水量8トンもあり、実に大きなものです。操舵者は潜望鏡を見て操り、敵艦にわが身もろとも激突して撃沈させるというものです。その点では特攻機と同じです。特攻機は「人間爆弾」、こちらは「人間魚雷」。やり方が同じなら、名前も似ています。人間魚雷は一旦蓋を閉めるともう中から開けられず絶対に助かることのない残酷な兵器です。回天が実戦に投入された当初は、南洋の港に停泊している艦船への攻撃でした。しかし日向や南郷町に配備されたのは米軍の上陸に備えてでした。

「人間魚雷回天訓練之地」の石塔

　下段には碑文が刻まれていますが、それは肇の辞世の句から始まります。

南海にたとえこの身ははつるとも　幾年のちの春をおもえば　　特攻隊員詠

かつてこの地は第三三突撃隊人間魚雷回天の乗組員たちが、祖国の存亡を憂いて猛訓練をつづけた海である　年移りて星変わりて平和な祖国は国定公園日南海岸としてその絶景をたたえている　あの島この島陰に大東亜戦争の必勝を念じ生命を捧げて永遠の平和を渇仰した尊い若人の血のにじむ猛訓練のあとを偲び　祖国の為に散った戦友を追悼し永遠の平和を祈念してこの碑を建立する

昭和四十三年八月十五日建立　　　　　　　　南郷町海友会

南海に……の歌にはそれを詠んだ永峰肇の名前は記されていません。しかしその名を上げる必要がないほど宮崎ではよく知られているからでしょう。飛行機の特攻と魚雷の特攻とには空と海の違いがありますが、捨て身の戦法という点では同じなので、冒頭に載せたのでしょう。この碑文を読むと、七十数年前の若者たちの姿が目の前に浮かび、死を前にした若者たちの心情が伝わってきます。しかし碑文にはいくつか「大東亜戦争」「祖国のために散った」という戦前の思想が見られます。

この湾は浅瀬でしたので訓練に好都合でした。また、基地は秘密基地で住民には知らされていませんでした。幸いにも、彼らの出撃よりも、日本の敗北の方が早くきました。今、この高みから展望すると本当に素晴らしい眺めです。周囲の山々に囲まれた湾、静かな青い海、樹々に覆われた、

また岩肌を剝き出した島々、枝が記念碑に被さった大きなソテツの木は平和そのものです。

福井の塔

沖縄県の糸満市摩文仁に建つ「福井の塔」の碑文にも永峰肇の辞世の句が刻まれています。碑の全文を見てみましょう。

沖縄ならびに南方全地域において大東亜戦争の大義に殉じた福井県出身者二万四千五百七柱（「柱」＝神々を数える際の単位）の英霊をこの聖地に奉祀（神仏・祖霊などをまつること）しそのとこしえの冥福を祈るここに全県民の赤誠（少しもいつわりのない心）をこめて建立する。

南溟にたとひこの身は果つるとも
いくとせ後の春をおもへば
遺詠　永峰　肇

昭和四十一年十月十七日
福井県戦没者沖縄慰霊塔建設期成同盟会会長
福井県知事　北　栄造

沖縄は日米合わせて約20万人が死んだ地です。そこに建てられた福井の犠牲者を祀る碑に「大東亜戦争の大義に殉じた」とはあまりにもひどい認識です。彼らは日本の侵略戦争に狩り出されて犠牲になったのです。永峰肇のこの辞世の句はこのように軍国主義の思想でなく、天皇制国家によって米艦に突入させられた若者を悼む目で捉えるべきでしょう。

以上、知り得る限りの永峰肇また敷島隊員慰霊碑について見てきましたが、その大方が「大義」「大東亜戦争」「国家悠久の大義」「世界恒久平和」「祖国」とか、軍国主義を払拭しきれない戦争肯定の立場に立つもので驚きです。そうばかりではないものに出会った時はホッとしました。

九州では、陸軍は知覧、万世、都城、海軍は鹿屋、串良、国分、指宿など20基地以上から特攻機が飛び立ちました。宮崎県には九つの航空基地がありました。九州南部に多くの基地がつくられたのは、米軍が南方から攻め上がってくると考えられたからでしょう。宮崎県の九つの航空基地のうち、都城航空基地（西）（陸軍）、都城航空基地（東）（陸軍）、新田原航空基地（陸軍）、富高航空基地（海軍）、宮崎航空基地（海軍）が特攻の出撃基地として使われました。都城航空基地（西）から出撃したのは10機（10名戦死）、都城航空基地（東）からは69機（69名戦死）でした。新田原航空基地からは71機（71名戦死。直接出撃38名、経由出撃33名の戦死者）でした。宮崎航空基地からは、３８７名が飛び立って戦死しました。富高航空基地は１９４５（昭和20）年４月１日の米軍沖縄上陸以来、鹿児島県の鹿屋に向かう特攻機の中継基地となりました。

六、フィリピンのカミカゼ記念碑

ダニエル・H・ディソン

カミカゼ・ミュージアム

フィリピンのダニエル・H・ディソン画伯（Daniel. H. Dizon 1930〜2015）は自宅に「カミカゼ・ミュージアム」を設け、敷島隊5名の肖像画を掲げています。写真は左上から発進した時の順位、つまり関行男、中野磐雄、谷暢夫、永峰肇、大黒繁男だろうと思われます。その画像はフィリピンのミュージアムにある敷島隊員の肖像画をディソン氏自身が模写したものです。

日本の特攻機が史上初めて飛び立ったマバラカットの東飛行場跡には幾つかのカミカゼ記念碑が建ち、西飛行場跡にも一つ見ることができます。反日感情の強いと言われているフィリピンにおいて、何故このようなことができたのか。それは、フィリピン人画家で歴史協会のメンバーであるディソン氏によるところが大きいのです。ディソン氏は『神風特別攻撃隊』の英語版を読み、大変な感銘を受け、これらの碑を建立するのに尽力しました。それでそれらの記念碑の碑文には、ディソン氏の特殊な考えが色濃く反映されているものすらあります。

ディソン氏はある記念碑の除幕式で、第二次世界大戦まで、フィリピンはスペインに約300年、米国に約50年間植民地にされていたことを念頭において、「当時、白人は有色人種を見下していました。これに対して日本は、世界のあらゆる人種が平等であるべきだとして戦争に突入していったのです。神風特別攻撃隊は、そうした白人の横暴に対する力による最後の〝抵抗〟だったといえましょう」と語りました。そして自著『フィリピン少年が見たカミカゼ』の中では、「長い間フィリピンを植民地としてきたスペインやアメリカに比べれば、日本のフィリピン支配はほとんどないに等しいものでした。日本は、そのたった4年の間にカミカゼ精神をもたらしてくれました。それは、フィリピンにとって最良のものでした」と書いています。ディソン氏は「大東亜戦争はアジアを白人から解放するための聖戦だった」と日本の右派が戦争肯定のために使うまやかしの論理に取り込まれています。どういう事実を持って、日本の支配はアメリカによる支配よりましだったといえるのでしょうか。

ディソン氏は「歴史的調査が明らかにしたところによれば、カミカゼを支えた信条とは、世界のすべての民族に対する機会の均等と親睦が、自らの死によって実現されることを心底から願って自らの身を捧げたカミカゼ志願者達の思いである」とも書いています。本当に特攻隊は世界の「世界のすべての民族に対する機会の均等と親睦」が、自らの死によって実現されることを願って米艦に突入したのでしょうか。これらの碑はそれを讃えて建てられたのでしょうか。

これらの碑を建てたマバラカット観光局長ガイ・インドラ・ヒルベロ氏は、記念碑碑文の中に「注記」として、「マバラカット観光局（ＭＴＯ）が神風平和記念廟の建立を推進した理由は、神風特別攻撃隊の栄光を称賛する為ではなく、その歴史的事実を通じて世界の民族に平和と友好の尊さを訴える為である。神風平和記念廟が神風特別攻撃隊のような不幸な出来事を二度と繰り返さないと誓う場所となることを祈念する」と記しています。マバラカット観光局長が伝えるように、特攻記念碑・廟は「その歴史的事実を通じて世界の民族に平和と友好の尊さを訴える為」にこそ造られたのです。

このようにマバラカットの記念碑を見る場合には、ディソン氏の考えに気をつけて見ていく必要があります。

慰霊碑「カミカゼ記念碑」

特攻隊が飛び立ったのはマバラカットの航空基地ですが、海軍二〇一空基地は南北に延びるマバラカット駅（鉄道）の東側と西側にあります。東側にあるのが「東飛行場」、西側にあるのが「西飛行

慰霊碑「カミカゼ記念碑」

場」です。

1974（昭和49）年5月7日、最初のカミカゼ基地であるマバラカットの海軍二〇一空基地跡（東）に、見出しが「第二次世界大戦に於いて日本神風特別攻撃隊機が最初に飛び立った飛行場」と日本語で刻まれた慰霊碑「カミカゼ記念碑」が、マバラカット町やフィリピン政府によって建てられました。慰霊碑の右側には日章旗、左側にはフィリピン国旗が見えます。その建立に奔走したのはダニエル・H・ディソン氏でした。しかしその序幕式には日本人は1人も参列していなかったといわれます。この神風特攻隊全戦没者の碑は、ピナツボ火山の噴火（1991年）によって喪失してしまいました。

神風東飛行場平和記念碑

「敷島隊」が1944（昭和19）年10月25日に飛び立ったのは西飛行場でしたが、ダニエル・H・ディソン氏たちの運動があって、かつてのマバラカット東飛行場跡にもう一つの記念碑「神風東飛行場平和記念碑」が建てられました。公園の入り口にはコンクリート製の鳥居が立っています。鳥居の奥には特攻隊員の像が台座に立ち、その後ろには旭日旗（日本軍の

神風東飛行場平和記念碑（右）と特攻隊員の像（左）

軍旗・軍艦旗）とフィリピン国旗のレリーフが配置されています。

そこの碑文は以下のとおりです。

本場所は、第二次世界大戦中、日本最初の神風特別攻撃隊が飛び立ったマバラカット東飛行場の跡である。１９４４年10月20日、神風特別攻撃隊は海軍中将大西瀧治郎により此処ルソン島パンパンガ州マバラカットに於いて創設された。

同攻撃隊の最初の志願隊員は、当時マバラカットに駐留していた日本帝国海軍第一航空艦隊・２０１航空隊に所属する玉井浅一中佐麾下の23名のパイロット達であり、敷島隊・大和隊・朝日隊・山桜隊の４隊に分けられ、関行男大尉が全体の隊長に任命された。

１９４４年10月25日朝７時25分、関行男大尉は中野盤雄一飛曹、谷暢夫一飛曹、永峰肇飛長及び大黒繁男上飛の敷島隊を率いてこの東飛行場から飛び立った。同日午前10時

45分、レイテ島沖の米機動部隊に対し同敷島隊は攻撃を開始、関機が先ず最初に米空母セント・ローに体当たりした。同艦は炎上、20分後に沈没した。

他の隊員も全員体当たりを果たし、米空母カリニン・ベイ、キトカン・ベイ、サンガモン、サンティー、スワニー及びホワイト・プレーを大破あるいは中破させ、米軍に多大な損害を与えた。

成功裡に終わったこの最初の神風特別攻撃は、当時敷島隊を空から掩護・誘導した西澤広義飛曹長（日本の撃墜王と言われ、103名の米軍撃墜死が確認されている名パイロット）によって目撃・報告されている。戦後、多くの戦争歴史研究者が関行男大尉を世界最初の人間爆弾であったと公に認めている。

この碑文の下に、前述のマバラカット観光局長ガイ・インドラ・ヒルベロ氏の「注記」があることを最初にお伝えしておきます。碑文に進むと、この碑文は当日の特攻攻撃の様子を正確に捉えています。しかし「関行男大尉を世界最初の人間爆弾であったと公に認めている」と書くのならば、特攻隊が爆弾を抱えて突っ込んだ空母群には二つあったことを明確にしなければなりません。確かに関行男大尉は敷島隊・大和隊・朝日隊・山桜隊の4隊の隊長ですが、関大尉が敷島隊を率いて突っ込んだのは第七艦隊護衛空母群第三集団「タフィ3」であり、大和隊・朝日隊・山桜隊はその少し前に第七艦隊護衛空母群第一集団「タフィ1」に突っ込んでいたのです。そして後から突っ込んだ敷島隊の方が「世界最初の人間爆弾」となったのです。

マバラカット西飛行場記念碑

マバラカット西飛行場記念碑

マバラカットの「敷島隊」が飛び立った西飛行場は東飛行場とは異なり、その時代の草原がそのまま広がっています。その中にポツンとマバラカット西飛行場記念碑が建っています。それには、大きな文字で「第二次世界大戦に於て日本神風特別攻撃隊が最初に飛び立った飛行場」と記され、右側に旭日旗、左側にフィリピン国旗が描かれています。

これまで見てきたフィリピンのカミカゼ記念碑では、神風特別攻撃隊が最初に飛び立ったのは東飛行場と書かれていましたが、今ようやく、敷島隊が発った西飛行場がそうであったと書かれました。

①【文献】

- 森史朗『敷島隊の五人・海軍大尉関行男の生涯』光人社（2016「敷島隊」）
- 金子敏夫『神風特攻の記録』光文社（2001）
- 根本順善『敷島隊 死への五日間　神風特攻隊長関行男と四人の若者の最後』（光人社NF文庫）（2003「五日間」）

②【映画】

- 「北緯15度のデュオ――日本初の神風特別攻撃隊の軌跡――」［DVD］根本順善（監督）（1990）（出演：川谷拓三、阿部寿美子、烏丸せつこ ANGELO VENTURA、MIA GUTIERRZ）
- 「NHK　日本ニュース・神風特別攻撃隊」第232號　海軍省検閲第九十號（制作 社団法人 日本映画社 1944〈昭和19〉年11月9日）（「日本ニュース」）
- 「第232号　神風特別攻撃隊敷島隊」（YouTube）（「日本ニュース」）

③【YouTube】

- KAMIKAZE 第1神風特別攻撃隊 敷島隊
- KAMIKAZE 神風特別攻撃隊 敷島隊
- マバラカットにて・敷島隊出撃の21〜25日
- マバラカットにて・敷島隊の戦果

④【ネット】

- ダニエル・H・ディソンの画像（「ディソン」）

第四章

戦災記と紙芝居『島物語』

機銃掃射に襲われた島の悲劇を語りつぐ

塩谷五月さんたちの物語

はじめに――「学童戦災之碑」

2014（平成26）年8月30日、筆者は塩谷五月さんに会いに島野浦島（延岡市島浦町）に出かけました。桟橋に着くと、塩谷さんほか3人の歴史家が待っていてくださったのにはとても驚きかつ感謝しました。上の写真は、高い山の上にある島野浦神社へと続く長い階段の登り口、階段に向かって右手に建つ慰霊碑群の前です。慰霊碑については後に説明していきますが、最初に写真の人物を紹介しましょう。向かって左から、河野正子、塩谷五月さん、古谷善和さん、筆者、そして撮影者は結城豊広さんです。皆さんは、いずれもあの戦争での島野浦国民学校の空襲を体験されておられます。

案内してくださる島野浦の体験者の塩月さんと古谷さん（中央2人）と筆者夫婦（両端）

私たちはまず最初に延岡市立島野浦小学校（延岡市島浦町14―7）を訪ねました。同小学校は延岡市の離島・島野浦にあります。島野浦は延岡市の北東に位置し、浦城港から北東へ約6キロメートルの距離で、高速艇ならわずか10分です。島の面積は２・83平方キロ、92パーセントは山地で、戦後約３０００人いた島の人口は現在約８５０人です。主要産業は漁業で、昔はイワシがたくさん獲れて「いわしの舞う島」と呼ばれたほどです。今も港にはたくさんの漁船が見えます。

１９４５（昭和20）年５月２日午前８時頃、この島は１機の米軍機の機銃掃射を受け、島野浦国民学校の生徒４人と住民２人が亡くなりました。島野浦小学校校庭に「学童戦災之碑」が建っています。裏面の碑文は次のとおりです。

太平洋戦争の末期一九四五年五月二日午前八時頃米軍偵察爆撃機の急襲により島野浦国民学校を主に町内全域にわたり数次の機関銃掃射を受け多数の死傷者が発生した。その時に長野栄二（十二才）島田光代（十三才）山本豊生（十四才）富田速男（十四才）の学童の尊い生命が奪われた。戦争の犠牲者になった方々のご冥福を祈りこのような悲惨な戦争を再び繰り返さないよう平和を祈願してこの碑を建立した。

一九九四年五月二日

島浦町地区青年健全育成連絡協議会

学童戦災之碑

この慰霊碑でもって1945年5月2日当日の島野浦国民学校機銃掃射の概要が分かります。この碑文は先の戦争を「太平洋戦争」と呼んで、「大東亜戦争」などと戦争時の呼び方はしません。また年号も昭和などの「元号」は使わず、1945年とか1994年とか「西暦」だけで表記しています。元号は時が経つといつのことか分からなくなります。しかし西暦だと、何年経ってもこの悲劇はいつ起こったのかが分かります。

紙芝居『島物語』の表紙

「5月2日」から半世紀以上の歳月が流れた1998年（平成10）年、当時同じ学校の生徒であった塩谷五月さんたちは、延岡市在住の、画家の渡木真之さんの協力を得て、あの「5月2日」について体験集と紙芝居を作りました。

体験集の『島物語　太平洋戦争末期悲話・島野浦戦災記』では、18人がその日自分に何が起こったのかについて語っています。そしてこの「体験集」を基に紙芝居の『島物語　太平洋戦争末期島野浦戦災記』が作られました。

筆者はこの2冊を基本に据えて、また幾多の資料を参考にして、一つのまとまったドラマを作ることにしました。まず空襲という時間の流れの中に、その場面にマッチした絵・カットや実物写真をはめ込み、さらに「体験集」などにある状況説明を付加しました。「体験集」から引用していますが、いちいち断りませんのでお許しください。それによって空襲全体は誰にでも理解しやすいようになりました。塩谷さんたちがつくってくれた仕事があればこそ、あの「5月2日」を一つのまとまったものに構成することができました。カットも画も画家の渡木真之さんの手になるものです。ここではカットか紙芝居からかを区別せずに活用させていただきます。

その上で、全体を三部構成にしました。「一、繰り返された機銃掃射」では、米軍の機銃掃射と襲われた学校の生徒たちの様子を全体的に描き、「二、6人の死者を悼む」では、6人はどのような状態で亡くなったかを、「三、長野龍勇さんと塩月五月さんの戦後」では、機関銃で片脚を失った少年がどのように生き抜き、塩谷さんたちはいかにして「5月2日」を忘却しないように戦っているかを描いています。

一、繰り返された機銃掃射

戦時下の島の生活

出征兵士の見送り

1941（昭和16）年12月8日に始まった太平洋戦争は、時とともに戦況不利になり、島からもたくさんの男性が召集されました。上の絵は島野浦から延岡への出征の光景です。乗る舟は小さく、見送るのは女性と老人と子どもばかりでちょっと寂しい風景です。それでもまだいい方です。敗戦が濃くなると出征の見送りも「派手にしてはいけない」となり、見送るのは家族ばかりでした。島内も女性と老人と子どもが目立つようになりました。

1944年6月15日から7月9日にかけて、マリアナ諸島サイパン島でアメリカ軍と日本軍の戦闘があり、サイパンが陥落しました。するとそこからB29爆撃機などが直接日本に飛来してくるようになり本土の空襲が始まりました。そのため島も灯火管制で、電灯の傘には黒い布を被せて灯りが外に漏れないようにしたので、夜は薄暗い中での生活でした。

生徒たちは半ズボン、モンペ、半モンペ、防空頭巾姿で、どんな寒い日でもワラ草履か裸足で学校に通いました。ポケットに手を入れるのは行儀悪いとか、何も隠せないようにとかの理由で全部縫い合わせられていました。品物不足で教科書は兄弟のお下がりか、近所の上級生から譲ってもらうのが普通でした。男子生徒はいつでも制服を着られましたが、女子生徒は特別な日にしか制服を着られませんでした。登校は隣保班単位の集団登校でした。しかし学年別ではなく1年生から6年生までの縦割りで、かつ男女別に高等科の生徒に引率されました。「隣保班」は「隣組」ともいい、互いに助け合うという名目で作られていましたが、実際には互いに監視したり、戦争に動員するための組織でした。学校では先生はいつもムチを持っていました。その頃、夏休みはなかったようです。国民学校は初等科6学年、高等科2学年から成っていました。

島野浦国民学校の生徒数は420余人でした。学校は木造2階建てで東西に階段がありました。1階は初等科1~4年生、2階は初等科5、6年生と高等科1、2年生の教室でした。朝礼は屋外運動場で行われていました。次ページの写真は全校朝礼時の奉安殿拝礼の様子を示しています。校舎前に整列した生徒たちは左手に向かって整然と並んでいます。グラウンド中央には日の丸掲揚のための柱が高々と聳(そび)え、左手には高台があり、その上には天皇と皇后の御真影(肖像写真)と教育勅語の入った奉安殿があります。生徒たちはそれに向かって最敬礼をするところです。

当時の島野浦国民学校。奉安殿拝礼時の全校朝礼か。

四方拝・紀元節・天長節・明治節等の四大節や入学式、卒業式には、フロックコートを着て、両手に白手袋をはめた校長先生が遠くから最敬礼の姿勢で奉安殿に近づき、教育勅語を取り出し、全文を読み上げます。生徒たちはその間最敬礼で耳を傾けましたが意味も分からない上に、しばらくするとズルズルと鼻汁が出始めます。でも身体を動かすことも音をたてることも許されません。鼻汁は下に長く伸びていきます。ようやく校長先生の朗読が終わりました。みんな音をたてて一斉に鼻汁をすすり、上衣の袖で拭きます。それでみんなの上衣の袖はピカピカになっていました。

1945年5月2日朝、突然の機銃掃射

1945（昭和20）年5月2日。小学1年生が入学してから28日目のことです。その日は朝からシトシトと小雨が降っていました。午前8時少し前のことでした。

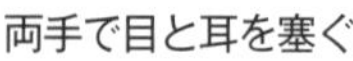
両手で目と耳を塞ぐ

敵機来襲！　避難しなさ〜い！

教室で自習時間が始まっていました。週番腕章をつけた高等科2年の生徒が教室の雨戸を開けてくれていました。
突然、飛行機の飛ぶ音がしました。友軍機だ！　みんなは窓にかけよりました。その瞬間、急降下した米軍機が1機バリバリと撃ってきました。米軍の機銃掃射です。空気をつんざく音が聞こえました。空襲警報のサイレンが鳴ったか鳴らなかったかははっきりしません。その時、高等科の上級生が、敵機、敵機来襲！　敵機来襲！　空襲警報！　早く机の下にもぐれ！　空襲！　と叫びました。先生方もメガフォンを持って危険をかえりみず、伏せろ！　伏せろ！　と叫んで駆けていきました。
上の絵を見ると、学校でも窓ガラスに爆風に備えて斜め十字に紙が貼られて補強され、また山々は学校のすぐ近くにあったことが分かります。生徒たちはそのお山にも飛び込むのです。生徒たちは訓練していたように、最初は机の下に潜り込みました。また教室の廊下にうつ伏せになり、目と耳を両手でギュッとふさぎました。それは爆弾が破裂して鼓膜が破

島野浦を襲った「12.7mm 弾」(左端)

れ、眼球が飛び出すのを防ぐためです。

米軍機はバリバリと再び襲ってきました。校長先生が鐘をガランガランと鳴らしながら、退避！　退避！　と声を限りに必死に叫び続けました。銃弾は木造校舎の壁からも、天井からも、窓からも飛び込んできました。ここで使われた銃弾は口径の長さが12・7ミリ(ミリメートル)もある、いわゆる「12・7ミリ弾」と恐れられた大きな物で、厚い板壁でも何でもぶち抜くのです。

銃弾を受けて血まみれになって倒れる生徒、泣き叫ぶ生徒、目の前で即死した生徒……。教室や廊下は血の海でした。阿鼻叫喚(あびきょうかん)の生き地獄でした。初等科2年の塩谷五月さんたちは高等科のお兄さんの股の下に潜り込みました。お兄さんたちは身体を重ねてかばってくれました。

高等科の週番も叫びました。避難しなさ～い！　逃げろ！　みんなはすぐワッと駆け出しました。高等科の上級生は叫びながら校舎の中を走り、下級生を誘導しました。防空頭巾を被る暇もなく逃げました。毎日1回、2時間ほどかけて防空訓練をし、学年別に避難所も決めていましたが、そのとおりにはいかず、みんなはわれ先に出口目指して駆け出しました。廊下で倒れる生徒がいました。その上に次々と人が折り重なりました。窓から飛び降りる生徒もいました。小使いさん役をしている女の子も職員室の窓から飛び出しました。みんながわれ先に逃げるなか、上級生の男子が早よ行け、それ行けと、のろい女の子の背中を押してやりました。

初等科6年の長野栄二くんが腿を撃たれてうつ伏せに倒れていました。そのそばに初等科6年の日高三義くんが顎を撃たれて口が二つに見える格好で倒れていました。木下チサト先生と岩田先生がそれぞれ1人ずつ抱えて2階から1階に走りました。退避！　退避！　と叫んでいた高等科2年の富田速男くんが左階段の上あたりに倒れていました。胸の両脇からべったりと血が流れていました。また階段の踊り場の壁にもたれて倒れている男子生徒がいました。高等科2年の山本豊生くんで、左胸を撃たれていました。階段に細い血の線が見えました。死んだ高等科1年の島田光代さんは日の丸か何かで被われました。

みんな先を争って戸口に殺到しました。戸口には1階の生徒たちと2階から降りてきた生徒たちが押し寄せました。身動きもできない状態でした。人に押され折り重なって倒れました。その上を後ろの人がポンポンと跨（また）いで飛び越えて行きました。入り口の土台の少し高くなったコンクリートに銃弾が当たって炸裂しました。

機銃掃射しているのは米軍機1機でした。島の湾内に停泊している海軍の監視艇に機銃掃射すると、そのまま直進して前方の学校を襲ったのです。その後、島を旋回すると、2、3分後には再び監視艇と学校に情け容赦なく機銃掃射を浴びせました。学校への機銃掃射は執拗（しつよう）で、運動場や校舎が8回も襲われました。米軍機が旋回している間に生徒たちは裏山の杉林目指して運動場をバラバラに走って逃げました。機銃掃射の弾丸がパッパッパッパッパッパッとグランドに砂塵を上げて追いかけてきました。校庭が点々と直径15・6センチメートルほどの幅で一直線に掘り起こされ、杉の枝がはじき飛ばされました。恐怖そのものでした。

子どもと知って撃っているのだろう、何て残酷なことをするのか！　しかし米国立公文書館にある5月2日のアメリカ軍機の報告書には、攻撃対象となったものの中に「学校」という文字はありません。上空から見ると学校は軍隊の建物に、生徒たちは兵隊に見えたようです。米軍機は学校とは思わずに攻撃したとも言います。しかし、大きなグラウンドがある建物を日本中のあちこちで空から襲っているのですから、こうしたものを見れば、それは日本固有の学校の姿だと学んだでしょうに。逃げまどう子どもたちめがけて機銃を打ちまくって楽しむその姿は、別にアメリカ人だけでありませんが、まさに「鬼畜米英」です。

再び米軍機から火を噴くように赤い光線がはき出され、それが幾重にも空中を走りました。まるで糸を引

赤いトウガラシの曳光弾

操縦士の顔が見えた！

PB4Y-2の先端部（操縦席と銃座）

米軍哨戒機「プライヴァティア」

いた赤いトウガラシのように見えました。それは弾底から光を出して弾道が分かるようにする曳光弾（えいこうだん）で、射手に弾道を示し、射手はそれによって射撃方向を修正するのです。米軍機は超低空で飛んでくるので、逃げ込んだ山腹などからも、機関銃を撃っている米兵の顔がはっきり見えました。

　飛行機は4発のプロペラ機で、操縦席の両側に太い白線、その中央の円形の黒に白い星のマークが見えました。操縦室の前、胴体の横、垂直尾翼（方向蛇）のある最後尾にそれぞれ銃座があり、それぞれ2丁の機関銃が打ち続けられました。それなのであらゆる方向に機銃掃射することができました。爆撃機はB17だったと言われているなかで、「いや、あれはB24だった」という人もいます。B24だと全長が20メートルもあり、戦争終盤に本土空襲に投入されたものです。

　先ほどの米国立公文書館にある5月2日当日のアメリカ軍機の報告書によると、この爆撃機はPB4Y-2 Privateer と呼ばれる長距離哨戒機で、「B24」をアメリカ海軍の超長距離哨戒と爆撃用に改良した哨戒爆撃機で、愛称は「プライヴァティア」（戦時敵船拿捕（だほ）の許可を得た民友武装船、その船長の意）

と呼ばれました。

逃げまどう子どもたち

みんなは必死に逃げました。山に向かって校庭を横切ると、赤い火が斜めに目の前を飛びました。ビシビシと雨のように降ってきました。何人も山手にある防空壕に走りました。もう上級生がいっぱいで入れませんでした。横穴式の防空壕に飛び込みました。未完成の防空壕にも駆け込みました。大木の根元にも身を寄せました。民家の防空壕にも飛び込みました。塩谷五月さんは上級生に連れられ、民家の防空豪に飛び込みました。松清トキ子さんは防空壕に入ると、持っていた赤い傘を広げて入り口を塞ぎ、みんな息を凝らしました。

頭隠して尻隠さず

みんなは他人のことはかまわずに勝手かってに走りました。自宅に向かって、杉山の中へ、泣きじゃくる1年生の女の子をおんぶして走りました。民家の防空壕の持ち主が「また来た」と言って、入れてくれませんでした。よその民家に飛び込みました。民家の小母さんが部屋の中に入れてくれました。

部屋の中では、何人もが頭から布団を被って震えていました。布団は小母さんがかけてくれたのです。頭だけつっこんでお尻は高くあげ、まるで頭隠して尻隠さずでした。学校に来る時、男子生徒は学生服で、女子生徒は普段はモンペ姿であって制服（セーラー服）は特別な儀式の時しか着用できなかったと前に述べましたが、前ページの絵を見ると本当ですね。布団に潜り込んだ女生徒はみんなズボン・モンペ姿です。絵に残すということは大切です。そこに70、80年前の現実が生きています。

　高等科の生徒は校長先生や先生に言われて、旋回する米軍機の機銃掃射の合間をぬい負傷者を助けに駆けずり廻りました。教室や廊下には機銃掃射を受けて天井から落下した板切れ、窓枠、ガラスの破片が散乱し、血痕（けっこん）が飛び散り、壁には機銃掃射の弾痕が無数にあり、地獄と化していました。腕を撃たれて肉の塊がぶら下がった生徒、首のあたりを撃たれた生徒……。先生が負傷した生徒を見て、血止めだ、血止めだ、紐を出せと叫びました。ズボンの紐や防空頭巾の紐を出すとそれで血止めをしました。また校長室のカーテンを持ってこさせ、切り裂いて血止めをしました。

負傷者の血止めをする先生

　米軍機が去りました。しかし恐怖のあまり誰も口がきけません。生徒たちは学校の校庭に集まりました。わが子の安否を気遣う父兄がたくさん集まっていました。先生や父兄が探していた子をようやく見つけ、「探しても見つからないので、もう死んでしまったのかと思っていたよ」と言いました。警防団（戦中、空襲や災害から守るために作られた警察や消防の補助組織）の人も集まってきて、負傷者を戸板に乗せて運んでくれました。

生徒たちは父兄と一緒に帰りました。村では切れた電線が道路に落ちていました。家の窓ガラスは爆風で飛び散らないように布が格子状に貼り付けられていたのですが、爆風で割れて、道路にはガラスの破片が散らばっていました。ガラスの破片で素足を切らないように、また焼夷弾も落ちているからと、生徒たちは親や兄弟に背負われて家に帰りました。家に着くと母や祖父母が「おお、無事だったか…！」と泣いて喜んでくれました。大人が泣くのをはじめて見ました。

学校では死者4人、重軽傷者6人が出ました。一番の重傷者は両足に銃弾を受けた初等科1年生の長野龍勇（たつゆう）くん（7歳）と何発も銃弾に襲われ顎を撃たれた6年生の日高三義くん（11歳）でした。4人の負傷者は担架（戸板）で診療所に運ばれましたが、途中で眠ってしまうものも出ました。すると「眠ったら死ぬど」と頬を激しく叩かれました。夜になるのを待って漁船の稲荷丸で延岡の病院に運ばれました。戸板に病院名の書かれた荷札がついていて、それぞれの病院に運ばれました。

お寺で葬儀がありました。6個の棺が並べられました。級友の棺を抱えて参列した生徒もいました。それ以降、学校はかなり長い間休みになりました。再び学校に行くと、その間に村の人たちにより、1階も2階も全部の教室に脱出用の滑り台が作られていました。また裏山には横穴式の防空壕が数カ所掘られていました。教室には、天井や床、机、椅子などすべてに数え切れないほどたくさんの銃痕がありました。もしこれが教室での自習の時間ではなく朝礼の時間だったなら、これ以上の惨事になるところでした。朝礼では、全員が屋外運動場に出ていたからです。

アメリカ軍機の報告書によると、この米軍機は45分にわたって攻撃し、港の船などに4000発、島に500発の機銃掃射を行い、爆弾を3発、焼夷弾を1発投下したとあります。焼夷弾は海中に落ち、3発の爆弾も山や海に落ち、市街地に落ちなかったのは幸いでした。

二、6人の死者を悼む

1945（昭和20）年5月2日の米軍機による機銃掃射で、学校では4人の死者、6人の重軽傷者が出ました。島全体では6人の死者と10数名の重軽傷者でした。機銃掃射はたった1機でこれほどの犠牲をもたらすのです。機銃掃射で亡くなった人の中には、体に二つの穴が開いている人もいました。弾が入った穴はあまり大きくありませんが、弾が出た所はハイビスカスの花が開いたような形の大きな穴となっているのです。ここでは亡くなった人、負傷した人、塩谷五月さんの「働き」について具体的に見てみましょう。

栄二くん（初等科6年・12歳）

長野栄二くんが負傷した時の事情についてはあまり分かっていません。朝食を済ませるや否や「行って参ります」と出て行きましたが、すぐに「おっかさん、カサ」と言って傘を取りに戻ってきました。その日は小雨でした。傘を取りに戻ってきた姿が、家族が元気な栄二くんを見た最後となりました。

畳を立て銃弾から守る

栄二くんのお父さんの長野新六さんは隣保班の班長で、警防団の山本花子さんの遺体を家まで届けた後、学校に向かいました。するど両足に銃弾の貫通を受け、出血で青い顔をしたわが子の栄二が、戸板に乗せられ家に運ばれてきました。栄二くんのお母さんは再び機銃掃射になっても銃弾が当たらないようにと、当時はどこでもそうしたように、栄二くんの枕辺に畳を立てました。

長野新六さんは燐保班の班長さんをしているだけあって、しっかりしたお住まいに住んでおられたようです。上の絵の奥座敷には立派な仏壇が目につきます。しかし床に洗面器が置かれているところをみると、長野さんの家も雨漏りに悩まされていたようです。お母さんは、「撃ってくるなら来い、栄二と一緒に死んでやる」と決死の覚悟で、栄二くんのそばを離れませんでした。栄二くんは自分は出血多量で青い顔をしているのに、「俺の足元には日高三義くんが倒れていたが、彼もやられたのではなかろうか」と友のことを案じていました。

その間、栄二くんのお父さんは同じように重傷を負った長野龍勇くんのお父さん（区長さん）を訪ね、負傷者を何時に、延岡の病院に連れて行くかを話し合いました。昼の間は米軍機が来ると危ないので日が暮れる頃に出ようということになりました。しかし、お父さんが家に着く前に栄二くんは亡くなっていました。9歳だった妹の糸枝さんはブラウスとお姉さんが縫ってくれたモンペ姿でお葬式に参列しました。後年、糸枝さんはこう書いています。

孫が四年生になった時、こんな小さな体でよくも逃げのびたものだと思い、六年になればこれ位の子供の時に栄二兄さんは亡くなってしまったのかと、孫の成長に栄二兄さんや私の当時の姿を思い浮かべていたものです。（佐藤糸枝）

この短い文章からだけでも、兄の栄二さんに寄せる糸枝さんの思いは十分伝わってきます。

光代さん（高等科1年・13歳）

先生が、敵機来襲！　机の下にもぐれ！　と叫びました。みんなが机の下に潜り込んだり、駆け出したりしました。島田光代さんは早く隠れなさいと言われても、おじヨ〜　おじヨ〜　どうしたらいいの？　とすっかり怯えていました。その時光代さんは椅子に座ったまま機銃掃射を受けて、前の机の島子さん（後述の、この日犠牲となった速男くんの兄稔（みのる）さんの奥さんと姉妹関係）の両肩を後ろから両手でがっちり摑んでいました。島子さんは逃げようとして光代さんを振りほどこうとするのですが、光子さんの両手を放すことができません。そこへ先生がやってきて、「島子ちゃん　何しているの。早く逃げろ」と言いました。島子さんは「何かが肩を押さえて放してくれません」と言うと、先生は2人の様子を見て、ぎっちり掴んだ光代さんの指を1本1本外して島子さんを解き放ちました。島子さんは走って避難しました。

光代さんは島子さんにしがみついたまま息絶えていました。光代さんの下半身は炸裂弾（弾頭の内部に炸薬・爆薬とこれに着火するための信管・発火薬を仕込んだ弾薬。着弾の衝撃で信管が作動・発火して炸薬が爆発する）を受けて文章にできないような無残な姿になっていました。

光代さんの遺体を布で被う

別の話もあります。機銃掃射の合間をぬって、その日当番の山本嘉行くんたちは負傷者を探し、2階の教室の出入り口で（あるいは階段の途中で）、カバンを持ったまま炸裂弾で亡くなっている光代さんを発見しました。ともかく、光代さんを見た先生は「むごい！」と叫び、カーテンを持ってこさせて、光代さんに布を被せてあげました。

上の絵を見ると当時の人々はどんな服装をしていたかが分かります。女性や子どもの服装については既に見ましたが、男性の大人は兵隊に似た服装をしていました。頭には軍帽を被り上着とズボンも軍服に似た「国民服」を着ていました。ズボンの下の方はいわゆる「ゲートル」でビシッと締め、一般に革靴を履いていました。またズボンの下の方が細くなった一般に「乗馬ズボン」といわれるものを履いていました。渡木真之画伯の「絵」の描写は正確に時代を表しています。

光代さんは、同じように機銃掃射で亡くなった豊生くんとはいとこ同士でした。惨劇が起こる前日の夜8時頃、光代さんは豊生くんの家に遊びに行っていて、2人は1本の柱の周りをグルグル回って追いかけっこをしました。2人はキャッキャッと本当に楽しそうでした。翌日にはともにアメリカの銃弾で亡くなってしまいます。前夜の2人の楽しい光景を思うと、両家の家族は涙を押さえることができませんでした。

速男くん（高等科2年・14歳）

その朝、富田速男くんは週番で他の生徒より30分早く来て、同じように週番で一番の友だちの山本嘉行くんと手押しポンプでタンクに水を入れていました。その時、機銃掃射がありました。速男くんは嘉行くんと一緒に、掃除用のバケツを持って水くみにきた5年生の女生徒3人と一緒に倉庫に逃れ、体育用のマットにくるまりました。校長先生に、生徒たちを避難させるようにと言われて、速男くんと嘉行くんは2人で、敵機来襲、避難せよ！　と触れて回りました。そう叫びながら1階の廊下を走り、2階に行きました。速男くんは2階の左階段の上あたりで、機銃掃射を受けて倒れました。背中から左腹部への貫通でした。

撃たれた速男くん（左）と日高三義くん（右）

戸板で運ばれる速男くんと兄の穣さん

撃たれた速男くんが仰向けに倒れたまま苦しそうにきりきり舞いをしているのを日高三義くんが見て「速男くん、大丈夫か」と声をかけましたが、返事はありませんでした。速男くんが倒れているところを弟の幸男くんが通りかかり、兄を助けようとしました。すると速男くんは、「お前もやられるから早く逃げろ」と言って、先へ急がせました。米軍機が攻撃を終えて去りました。

速男くんより二つ年上の兄の穣さん（16歳）は警防団員でした。学校に駆けつけると、学校から最初に出てきた速男くんを見つけました。速男くんは戸板に乗せられて診療所へ運ばれて行くのです。穣さんは銃弾が入った所と出た所を見て、これは駄目だと思いました。その後から親戚の長野龍男くんが戸板で運ばれてきました。先生が穣さんに、「あなたは親戚だから、龍勇くんが眠らぬように声をかけて診療所まで行きなさい」と言うので、そのようにしました。診療所に着くと、先に着いていた速男くんはすでに息絶えていました。

豊生くん（高等科2年・14歳）

山本豊生くんは6人兄弟の長男で、お姉さんが1人、弟が4人いました。豊生くんは機銃掃射で左胸を射貫かれ、階段の踊り場の壁にもたれてうめいていました。一緒に伏せた宇和弥佐義（やさよし）くんの服は返り血で血だらけになりました。豊生くんが「苦しい、服のボタンを外してくれ」と言うので、弥佐義くんはそうしてあげました。2階から1階に通じる階段に、身体を引きずってできたような帯状の血痕は豊生くんのものだと思われます。そこを駆けた女生徒が血のりですべって転びました。

豊生くんは米軍機の旋回の合間に負傷者を探しにきた嘉行くんたちによって発見されました。「豊ちゃん大丈夫か」と聞くと、豊生くんは苦しい息の下から「俺はやられた。この仇（かたき）を討ってくれないか」と途切れがちな声で応えました。豊生くんは診療所に運ばれました。銃弾が肺を貫通していました。豊生くんの家は診療所から遠いので叔母さんの家に運ばれました。家族が駆けつけました。間もなく親戚も急いで来ました。夕暮れ時でした。

私はその人達をかき分けて豊生の側に近付き「今、来たよ」と声をかけ、呆然と立ちつくしていると、豊生が「おっかさん、灯りが前のようでなく見えにくい」と言った。すると母が「本当ね。ではおっかさんの顔は見えるね」と問う。豊生は「おっかさんの顔はまだ少し見える」と言

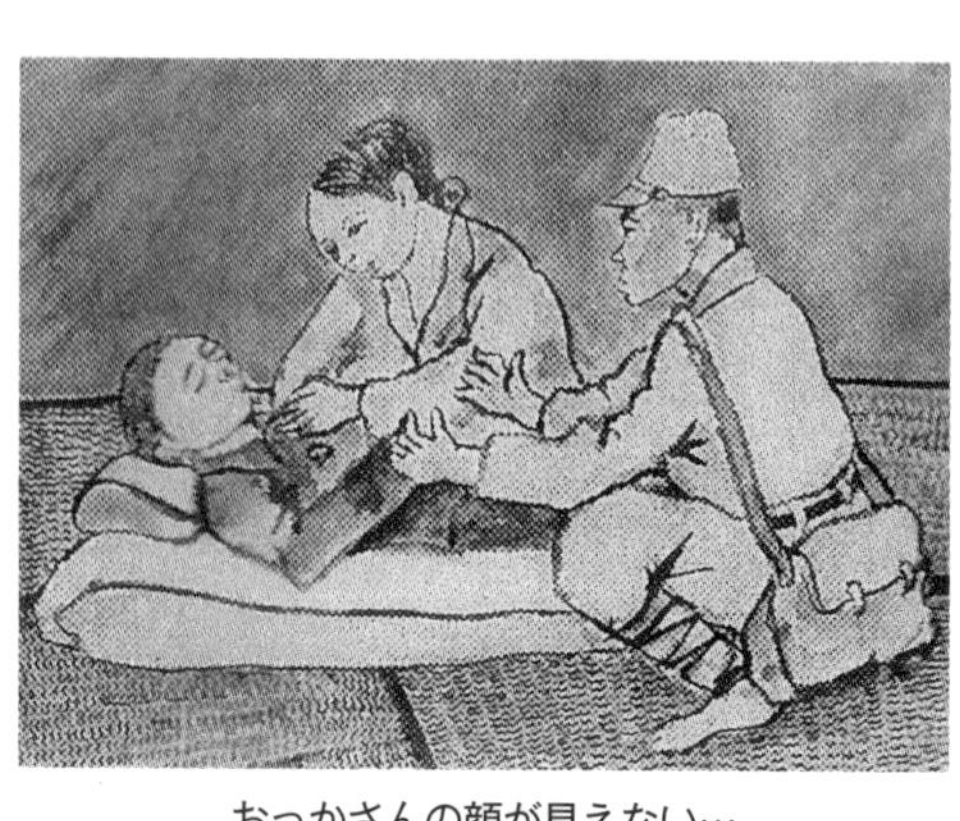

おっかさんの顔が見えない…

う。それから十分位経ったと思う。豊生「おっかさん」と言う。母「どうかしたね」と問う。すると豊生「もうぼつぼつおっかさんの顔が見えなくなって来た」といつものような元気の良い声だった。

母「どうしよう…　豊よ〜い」と叫びながら豊生に覆いかぶさったが、次の返答はなく、間もなく静かに目を閉じた。これが豊生十三歳の最期であった。

父母が誰よりも頼りにしてきた長男を失ってしまったあの悲しみといったら計り知れないものだった。

（碓井冴美＝豊生くんのお姉さん）

豊生くんが運び込まれた家の隣は、豊生くんの一級上の塩谷幸子さんの家でした。豊生くんの最期の様子がそこでも分かりました。

沢山の身内の人達の集まっている中で山本さんの「おっかさん、水、おっかさん、水」と言う悲痛な叫びがいつまでも耳に残り、今でも忘れることが出来ない。私の母が「可哀想に、『おっかさん水くれないか』と叫んでいる」と涙ながら私に話す。暫くすると山本さんのお母様が「こん

我が子をかき抱くお母さん

なに水を欲しがっているのに飲ませてやろう」と言う声…。そんな会話の聞こえる毎に米軍への怒りひとしおだった。
　山本さんの「おっかさん、水」と言う声も聞こえなくなると、山本さんのお母様のワッと泣く声！　それが豊生様の死だとわかった。私の家でもみんな泣いた。

（塩谷幸子）

　葬儀の日も空襲警報が鳴りました。みんな防空壕に避難しましたが、豊生くんの両親だけは棺のそばを離れようとしませんでした。それでみんなは棺を安置している部屋の畳全部を外して、棺と2人の周りに立てて機銃掃射から守ろうとしました。
　この5月2日の米軍機による機銃掃射では、島野浦国民学校の生徒だけでなく、2人の住民と2人の兵士が亡くなっています。住民のことについて書きましょう。死亡した2人の兵士は軍に収容されました。

花子さん（女子警防団部長・24歳）

　山本花子さんは6人の兄弟姉妹で、女子警防団部長でした。機銃掃射の音が花子さんの家まで聞

和服を着せて花子さんを送る

こえてきました。焼夷弾が落ちて火災が発生したようだとの知らせが家に入り、花子さんは家を飛び出し、部長として消防の指揮を執りました。しかし任務遂行中2回目の機銃掃射を受け、頭部貫通で殉職しました。花子さんは長野新六さん（亡くなった栄二くんの父）と中田政義さんに手足を抱えられて家に運ばれてきました。まだ血が滴っていました。お父さんの白い服が真っ赤になりました。

家の中は危ないというので防空壕に運ばれました。お父さんが防空壕に入り、花子さんを抱きかかえました。作りかけの防空壕だったので妹の久乃さんが入るだけの余裕はありませんでした。

花子さんは銃弾が額から入り首に向かって進んだようです。妹の久乃さんたちはその穴に脱脂綿を詰め、包帯を巻きました。当時の女性は和服を財産にしていて、花子さんも上等な和服と化粧品を買いためてお嫁に行く日を夢見ていました。久乃さんたち家族はそれを棺に入れてあげました。久乃さんたちは、明日はわが身……という時代でしたので、姉の花子さんの死を悲しむよりも、お姉さんはこんなふうにお葬式をしてもらって幸せよという思いでした。

花子さんの眠るお墓は街を見下ろす高台にある福聚寺（ふくじゅじ）にあります。その墓石の前に黒色の石版が建てられ、次のような碑文が読まれます。

華麗香院浄清良禅大姉
昭和二十年三月女子警防団幹部トナリ島ノ浦第一回空襲ニ於テ殉職ス
昭和二十年五月二日　銃創死　俗名　山本ハナ子　行年二十四歳

24歳とはまさに花も盛りで人生これからでした。本人はもとよりご両親もさぞ無念であったことでしょう。

高利さん（在郷軍人・33歳）

5月2日は旧暦の3月21日で、島では、大師祭り（弘法大師を守護神として、「家内安全」「息災延命」「五穀豊穣」「商工発展」を祈願する祭り）と戦死者を祭る招魂祭の日でした。午後からは島野浦神社前で旅回りの芝居があるので、漁船松福丸（10トン）で延岡へ演芸団を迎えに行きました。乗組員は警防団員4人と在郷軍人幹部3人でした。途中で米軍機の機銃掃射を受け、みんなは海に飛び込みました。その時在郷軍人（予備役）で召集されて乗船していた池田高利さんが溺死しました。
米軍機は真っ先に松福丸を攻撃すると、続けて海軍の監視艇を銃撃しました。監視艇は豊後水道

松福丸への機銃掃射

米軍機の
監視艇銃撃

などを監視するのが任務で、島浦港にはその日6隻の艦艇が入港し、4隻は砂浜にあって、海上に浮上していたのは1、2隻で、米軍機はそれに機銃掃射しました。監視艇の周りは機銃掃射と曳光弾で水柱が上がり、ヒョウでも降るように白く波立ちました。上の写真は、米軍の戦闘機に搭載されたガンカメラで撮影された映像写真です。監視船は応戦しましたが、勝負にならず結局、兵隊は海に飛び込みました。監視員の兵士が2人戦死しました。

監視艇を攻撃した米軍機は、今度は国民学校を攻撃しました。そしてまた引き返して監視艇を攻撃し、続けて学校を攻撃しました。米軍機は島の上空を旋回しては8回攻撃を加えました。死亡した兵士は軍隊が引き取っていきました。

もう一つの記念碑

冒頭の島野浦小学校で、米軍機の機銃掃射で犠牲になった生徒たちの慰霊碑を見ましたが、もう一つ「5月2日」の記念碑があります。島野浦神社の高く長い階段が始まる場所に慰霊碑が幾つか見られますが、その一つには、正面に「大東亜戦戦災　慰霊碑」と書かれています。裏面には次のような碑文があります。

大東亜戦戦災慰霊碑

大東亜戦ノ末期昭和20年5月2日午前7時50分突如トシテ敵機来襲シ島浦小学校ヲ中心トシ町内全域ニ対シ数次ニ亘(ワタ)ル旋回銃爆撃ヲ敢行セリ。タメニ町内忽(タチマ)チニシテ戦場ヲ思ハセル修羅場ト化シ6名ノ犠牲者ヲ出シタリ。依(ヨ)ッテ町民一同トコシエニ此ノ悲シミヲ忘レル事ナク、昇天ノ御タマヲ慰メ、カヽル悲シサハ二度トナキ様、戦ナキ平和ヲ祈願シ建立セシモノナリ。

死亡者

池田高利　33才　島田ミツヨ　14才

長野栄二　11才　山本花子　24才

山本豊生　15才　富田逸男　15才

昭和48年3月

島浦町町民一同　建

ここで、「大東亜戦争」という戦争時代の言葉が使われているのには少し問題を感じますが、慰霊碑にはこの日亡くなった6人全員の名前が記されています。女子警防団の山本花子さんと在郷軍人の池田高利さんは島野浦国民学校の生徒ではないので、その名前は学校の「学童戦災之碑」には入っていませんでしたが、ここでは入っています。そしてまた「町民一同トコシエニ此ノ悲シミヲ忘レル事ナク、…カヽル悲シサハ二度トナキ様平和ヲ祈願シ」という言葉からは、街の人々の平和に寄せる深い思いが伝わってきます。

三、長野龍勇さんと塩月五月さんの戦後

――それぞれの闘い

片脚を失いながらも立派に成長した龍勇くん

初等科1年生の長野龍勇（たつゆう）くん（6歳）くんは両足に銃弾を受けて片脚を失いましたが、命は助かりました。機銃射撃を受けた時の様子は次のようでした。

龍勇くんが自習をしているとダダダーと機関銃の音がしました。最初は監視船の訓練かと思いました。しかし米軍による機銃掃射と分かり、みんなと一緒に逃げ出しました。

途中で龍勇くんは、かばんと買ってもらったばかりの傘を忘れたことに気付き、教室に取りに戻りました。その瞬間、また機銃掃射がバリバリっときたので、廊下の壁に逃れました。しかし銃弾は壁を貫き龍勇くんの両脚を撃ち抜きました。

龍勇くんは這って廊下にある2段の階段まで来ました。立

長野龍勇くん

脚に銃弾を受けた長野龍勇くん

とうとしましたが立てません。階段に座ってよく見ると、右脚は膝関節から足首まで肉がほとんど吹き飛び、そこは皮で繋がっているだけでした。残った肉の部分は弾丸の熱で煮えているのか湯気のようなものが出ていました。校長先生がやってきたので、「先生やられました」と伝えました。しかし校長先生は、そこにいなさいと言って、退避！ 避難！ と叫んで2階へ走って行きました。

しばらくすると、家の隣に住む高等科2年の長野弥助兄さんが来て、龍勇くんを職員室の横にあるコンクリートの壁の所まで運んでいってそこへ置き、退避！ 避難！ と叫んで走っていきました。1人になりました。操縦士の顔が見えましたが、不思議なことに恐怖心は起こりませんでした。

弥助兄さんから聞いたからと、担任の沢部先生がやってきて、龍勇くんを抱きかかえ、校舎の裏側にあるコンクリートの便所まで運んでくれました。そこへ学校の近くに住む榎田さんが、「たっちゃんがやられた」と聞いて息子の達夫がやられたと思い、幟（のぼり）の束を持って駆けつけました。2人とも「たっちゃん」だったのが龍勇くんに幸いしました。榎田さんと沢部先生が幟を切り裂き、止血をしてくれました。再び1人になりました。便所で呻（うめ）いているところを警防団の人に発見され戸板で診療所に運ばれました。戸板で運ばれていると眠くなり、眠ろうとすると頬を叩かれました。簡単な手当てを受けて診療所から家に帰りました。最初は防空壕に入り、その後家に入りました。

重傷の長野栄二くんのお父さんが、区長をしている龍勇くんのお父さんのもとへ、いつ延岡の病院に行ったらいいのか相談にきました。米軍機がくるかもしれないので、陽の暮れた頃にとなりました。船を下りると、龍勇くんは他の負傷者3人と一緒にトラックで延岡の病院に運ばれました。龍勇くんの戸板には黒瀬病院と書かれた名札がついていました。その日のうちに、黒瀬病院で麻酔もないままノコギリで片脚を切断されました。延岡女子中学校に行っていた次女の寿子姉さんも血液型はO型だということで、輸血をしてもらいました。傷跡には消毒薬のリバノール（低水準の殺菌、消毒薬で、皮膚や傷口などの消毒に使用）が塗られただけでした。左脚もひどかったのですが、切断せずにすみました。

長野龍勇くん

入院から約2カ月後の6月29日は延岡大空襲で、龍勇くんは母と姉の寿子さんの3人で水の溜まった防空壕で一夜を過ごし、翌日、乳母車に乗せられ、焼け野原になった延岡を後にして家に向かいました。この大空襲では第一章の主人公・栗田彰子先生が亡くなっています。なお、この年、2番目の兄も戦死しました。

龍勇くんは片脚を失い松葉杖で歩いていましたが、元気に成長しました。運動会や遠足には参加できませんでしたが、水泳はよくできました。中学三年の時、水泳大会で優勝し新聞に載りました。

朗らか少年に〝愛の義足〟

島野浦空襲の犠牲　隻脚（片足）ながらも水泳に一等

空襲で右脚を失いながらも生来の負けず嫌いで水泳大会で一等をとったり自分で器用に松葉づえを作ったりして朗らかに成長してきた少年に愛の義足がおくられる――いわしきん着網で大漁旗はためく東臼杵郡南浦漁場で去る七日開いた保護児童巡回相談に右足がなく松葉づえの少年が母に伴われて訪れた。島野浦中学三年生長野竜勇君（15）＝万吉氏三男＝で二十年島野浦小学校に就学したばかりの五月二日、米戦闘機三機が港内の対空監視船と同校に機銃弾をあびせ、児童二、一般一名の即死（※正しくは児童4、一般2、兵士2）、重軽傷者数名（※正しくは10数名）を出した時、逃げおくれた竜勇君も右大たい部貫通銃創を受け右脚を切断した。

奇しくも生命をとり止めた竜勇君は快活さと健康をとりもどして小学から中学へと進み、成績もよくスポーツ□□にやってのけ、□□に本年夏の南、北浦中、小校水泳大

会では百メートル自由形で一位となった。また図工関係が得意で松葉づえも自作のもの、すくすくと成長みじんの暗さもなかった。

巡回相談に出席した県福祉事業関係者も竜勇君からこの話をきいて感激、協議の結果〝義足を贈ろう〟ということになり、八日少年児童相談所滝福祉司が出県、報告したが、県児童課でも無償提供に決定、ちかく義足が贈られることになった。竜勇君は自作の松葉づえにサヨナラする日と明春四月にはさらに上級校へさっそうと通学することも約束され竜勇君の顔はいよいよ明るい。


（「日向日日新聞」1953〈昭和28〉年）

青年・龍勇くん

龍勇くんは中学校を卒業後、無線通信士として無線局に勤めました。結婚して3人の娘さんがおり、幸せな日々を送りました。2004年（平成16年）に65歳で亡くなりました。

なお、顎を撃たれた日高三義くんは顎、手、胸、肩、膝に大きな傷跡を残すことになりました。

塩谷五月さんの戦い

島野浦小学校は今、立派な3階建ての鉄筋校舎に変わり、悲劇に襲われた当時の2階建ての木造校舎はもうありません。当時を思い出させるのは学校を囲む山の稜線だけです。しかし避難時に、長野龍勇くんが倒れるのを見た塩谷五月さんからはその記憶が消えることはありませんでした。この悲惨な事実は決して忘れてはいけない、後世に伝えていかなければならないと、1998（平成10）年、塩谷さんは同級生たちに呼びかけて体験集『島物語　太平洋戦争末期悲話・島野浦戦災記』をまとめました。

塩谷さんは「体験集」の作成をみんなに呼びかけただけではありません。自ら「島物語実行委員長」の重責を担い、島野浦に住んでいない場合は住所を探しだし、文章を書くのが苦手な人の場合は、まずテープに取ってそれを文章化するという極めて困難な仕事をも引き受け、また紙芝居「島物語」のための原作も引き受けたのです。その後、「体

ふる里で、元気で〜す！
── 塩谷五月さんと長野龍勇さん

験集」は複製され延岡を中心に広まっています。「紙芝居」の方も最近カラーで5部複製されました。島野浦中学校に展示され、延岡の語り部「萌えぎの会」にも利用してもらっています。

これほどに塩谷さんたちを突き動かしたのは何だったのでしょう。この文集作りに参加した人々はみんな塩谷さんと同じ思いです。銃撃で片脚を失うことになった長野龍勇さんは、「教育は怖い。戦争だから撃たれても当たり前、くらいに思っていた。恐怖も感じなかった」と、自分がすっかり別人になっていたのを感じ、軍国主義教育の恐ろしさについて語っています。

「島物語」に一文を寄せた人々は、毎年五月、雨がシトシト降る季節になるとあの日の恐怖と悲痛な叫びを思い出し、あらためて戦争は二度とあってはいけないと考えます。「これからはもっと社会に目を向け、戦争のない平和な二十一世紀を築くために、少しでも努力してまいりたいと思っております」（松清トキ子）。「戦争とは子供でも容赦なく殺す悲惨且つ冷酷なものであるとつくづく思います。当時の父母の悲しみと、あの銃弾の炸裂する光景を思うと二度と戦争はあってはならない事なのです。どうか子供や孫達に平和な時代が永遠に続く事を祈ります」（死亡した長野栄二くんの妹の佐藤糸枝さん）。あの恐怖を体験した人々はもう80歳を越えていますが、「私たちの中には戦争を讃美する人なんかいませんよ。みんな、戦争だけは絶対してはいかんという気持ちです」と語ります。

最後に、塩谷五月さんに語ってもらいましょう。「こんな小ちゃな島でさえ戦争があった。子供の命が奪われた。戦争は兵士だけでなく、子供も容赦なく殺されるということを知らせたい」という思いで作ったと言います。

塩谷さんのお父さんも戦争で亡くなっています。お父さんの稲野新雄さんはフィリピンのカモテス島で35歳で亡くなりました。カモテス島はフィリピン中部のセブ島とレイテ島の間にある島で、パシハン島、ポロ島、ポンソン島、トゥラン島の四つの島の総称です。セブ島の北東部に位置し、セブ島から高速フェリーで約90分です。

お父さんと同じ部隊に配属されていた島野浦の人がいて、敗戦後3カ月ほどして帰ってきて、お父さんが亡くなった様子を知らせてくれました。お父さんは敗戦の前年の12月23日か24日、頭部に銃弾を受けて亡くなったというのです。お父さんの死が知らされた日から数日間、お母さんと祖母は寝込み、家は昼間から閉め切られ、真っ暗な状態が続いたそうです。塩谷さんは学校から家に帰るのが嫌でした。あんなに憔悴（しょうすい）した母と祖母を見たことがありません。今でも、あの時のことを思い出すととても辛い気持ちになりますと、塩谷さんは目に涙を浮かべて語ってくれました。

前出の「大東亜戦戦災　慰霊碑」と並んで「満州　支那事変　大東亜戦争戦没者」の慰霊碑が建っています。その裏面にたくさんの戦死者名が並んでいますが、それには塩谷さんのお父さんである「稲野新雄」さんの名前も刻まれています。

「5月2日は決して忘れない」

毎年4月には、あの日犠牲になった生徒だけでなく、戦争で亡くなった島全体の犠牲者のために戦没者慰霊祭を開催して、戦争の悲惨さが後世に伝えられてきました。しかし慰霊祭を挙行してきた延岡市遺族連合会も、他の遺族会のように、会員の高齢化と後継者不足のために、２０１８年（平成30年）３月31日をもって解散となりました。

塩谷さんは解散の知らせを受けて、自分の半身がなくなったような思いだったと言います。戦争を体験した者も少なくなり、自分も81歳になったが、生きている限り戦争について語り続けていきたいと気持ちを引き締めています。

塩谷五月さん「５月２日は決して忘れてはいけない…」

次ページの写真は長く高い階段の上に聳える島野浦神社の側道から下に広がる島浦町を説明していただいているところです。結城豊広さん「みなさん、私の指さす方を見てください。あそこに見えるのが知る人ぞ知る島野浦です。私たちの街も、高いところにある島野浦神社もよく見えますね。塩谷さん、古谷さん「本当だわ。私初めて見たわ。感動ね」

今回、本章の作成にあたっては塩谷さんには本当にお世話になりました。資料のほとんどは塩谷さんに提供していただいたものです。また犠牲者の昔の顔写真も入手してくださいました（ただ、最近は「プライバシー保護」の問題

結城さん「あれが島野浦です」。
みんな「本当だ。初めて見たわ！ 感動する！」

があるので、亡くなられた方の写真は、残念ながら編集の最終段階で降ろさせていただきました）。

塩谷さんはその上、原稿にも手を入れてくださいました。とても感謝致します。本章は私1人の仕事ではなく、塩谷さんを中心とする島野浦の平和を求める人々との共同作業といえます。また紙芝居の『島物語　太平洋戦争末期島野浦戦災記』と体験集の『島物語　太平洋戦争末期悲話・島野浦戦災記』の利用については責任者の塩谷さんの了解を得ています。

このように塩谷さんは平和を守るための活動を続けていますが、1998年（平成10）には夕刊デイリーから「明るい社会賞」を受けています。塩谷さんの活躍は2作の創作だけでなく、ラジオやテレビの中でも以下のように島野浦の悲劇について語っています。

- 『機銃掃射に怯えた日々～昭和二十年宮崎の空の下で～その時地上で何が起きていたのか』宮崎放送（MRT・テレビ）放送日（2015・8・14）
- 『機銃掃射に怯えた日々～昭和二十年宮崎の空の下で～』

紙芝居を使って戦争を語る塩谷さん

（ラジオドキュメンタリー　戦後七十年記念特別番組）宮崎放送（2015）

（平成27年日本民間放送連盟賞　番組部門　ラジオ放送番組　最優秀賞受賞。平成27年度〈第70回〉文化庁芸術祭大賞〈ラジオ部門〉受賞）

・「ザ・ベストラジオ2016」NHKラジオ第一（全国放送）放送日（2016・10・8）

・「戦後70年企画　銃撃を受けた学校・延岡市島野浦」映像提供　豊の国宇佐市塾（2015）

・「知っとこみやざき・語り継ぐ戦争　しまんだの歴史」UMKテレビ（2018・8・5）

・「特集　戦後73年　資料が伝える島野浦空襲の真実」（特集「島を襲った悲劇・記録が伝える真実は」）MRTテレビ（2018・8・13）

【文献】

・『島物語　太平洋戦争末期悲話・島野浦戦災記』塩谷五月他（カット＝渡木真之）（1998「島物語」）
・紙芝居『島物語　太平洋戦争末期島野浦戦災記』（原作＝塩谷五月　画・紙芝居制作＝渡木真之　ナレーター＝北国公子）（1998「紙芝居」）
・「朗らか少年に〝愛の義足〟」日向日日新聞（1953）

おわりに

本書の「はじめに」で書いたように、私はできるだけ多くの資料に当たりながら、その資料の中の人物を再生して生きた人間にしたい、バラバラに起こる事件も歴史の中の力と力のぶつかり合いとして描きたいと思いました。さて、そのとおりになったでしょうか。

最初の「栗田彰子先生の物語」では栗田彰子さんが中心人物であることはすぐ分かります。彰子さんについては幾多の人々がそれぞれの角度から書いています。筆者は第二節「彰子さんの精神的バックボーン」で、人々が彰子さんについて語ってくださった断片を集積すると、それは断片に留まるものではなく彼女の精神的バックボーンを形成するものであることについて書きました。また、彰子先生について話され書かれた話を1冊の本「愛」にまとめてくださった「栗田彰子を偲ぶ会」の皆さん、先生の妹の永井ヨシ子さん、縁の下の力持ちとなってみんなをまとめ、中心となって大事業を達成してくださっただけでなく、バンクーバーと延岡中学校の交流に道を開いてくださった医師の岡俊彦先生のご尽力は大きいものでした。これらの1人ひとりもまた皆が主役です。

二番目の「栫美穂子さんの物語」では、主役はもちろん戦火の中から救出された栫美穂子さんです。しかし同時に彼女らを炎の中から救出した八路軍の兵隊さん、〝日本人の少女〟を保護すると決意し、命令を下した聶栄臻将軍、東王舎の大隊本部の救護所まで連れて行った楊仲山さん、それに〝日本人の姉妹〟を養育した山村の人々も皆主役です。特に〝興子ちゃん〟が来るのを期待して待っていた山村の人々は本当に忘れがたい形象です。

それだけではありません。これは「美穂子さん事件」という個人のジャーナリスティックな問題で終わるのではなく、「日中戦争」という根本にある問題の解決へ向かうのです。つまり美穂子さんや聶将軍の娘さんの聶力さんが多くの人々と協力するなかで、1999年(平成11)11月18日に、中国の江津市と都城市が「都城江津日中友好交流都市」を締結しました。日本と中国の友好運動へと邁進を始めたのです。ここでの戦後の闘いは一方が中国であるだけに、運動の規模は日本国内での規模をはるかに超えたものとなっています。

三番目はこれまで見てきたものとは真逆の方向を歩む「特攻隊員・永峰肇飛行兵曹長の物語」です。他の人々は日本の軍国主義や日本が仕掛けた戦争に翻弄されるのに対して、永峰肇は戦争を遂行する側に立つ青年なのです。これまでの人物には戦争の犠牲者という一致点がありましたが、肇との間にはありません。一致点はせいぜい宮崎生まれぐらいでしょう(彰子さんだけは日系2世のカナダ人ですが)。しかし肇の歩んだ道をたどっていくと、貧しい農家に生まれた子で、常に父母弟妹のことを案じる好青年です。海軍の学校では、上級者から「制裁」を受けた下級者が、今度は自分たちが上級者となると下級者に制裁をくらわせました。しかし肇はそのような愚劣な精神は持ち合わせていませんでした。

ここで永峰肇を主人公としましたが、同時に「世界最初の」特攻隊となった関行男を隊長とする敷島隊も一つの家族的主人公といえるでしょう。もう一つの主人公は、米国の第七太平洋艦隊と日本の艦隊でしょう。そのなかで敷島隊は大活躍をするわけです。肇たちの敷島隊は「軍神」となって称賛されますが、軍国主義のヴェールを取り払ってみると、彼らもまた気の毒な犠牲者に過ぎません。一方は米軍の激しい銃撃を浴びて死んだ犠牲者、他方は250キロ爆弾とともに米艦隊に突入させられた若者たち、どちらも「戦争の犠牲者」ということでは同じです。

最後の「島野浦国民学校」では一見主役が分かりづらいです。しかし紙芝居があるおかげで人物は生き生きと蘇ってきます。それを見、それを読むと、小さな6人の生徒、2人の民間人の犠牲は本当に痛ましいことだったという感情が心身に湧いてきます。また戦後に18人の元生徒が自分たちの体験を書いてくださいました。それを1冊の本（『体験集』）にまとめ、それから紙芝居の『島物語』を作り、戦争の残酷さを世の中に訴えた続けた塩谷五月さん、「紙芝居」の絵や本のカットを一手に引き受けた渡木真之画伯たちの努力に心の底から感謝します。機銃掃射で片足を失っても頑張った長野龍勇くんの形象も忘れ難いものです。

※　※

もう一つ難しかったのは「写真」の利用です。よく学校では慰霊祭の時、慰霊碑の前で追悼式や平和教育がなされます。そして戦争の悲惨さ、平和の尊さについて語られ、亡くなった人の数や名前が聞かされ、一人ひとり献花します。しかし言葉だけの説明では、戦争は駄目だと思っても戦争の痛みはなかなか伝わりません。爆死した生徒たちや先生の遺影を生徒たちが自分の目で見ることが大切なのです。自分の目で見ると自分たちと変わらぬ年齢の子どもたちが機銃で身体を撃ち抜かれたり、爆弾でバラバラにされてしまうのです。まあ、こんなハンサムな男子生徒が、こんな可愛らしい女生徒が……。小学校で6年間、中学校で3年間、一年に一度見ることになるといつしか誰にも話せない自分の恋人になってしまうかもしれません。そうなると生徒は、その顔をその笑顔を一生忘れられなくなることでしょう。その顔を見て初めて、こんないい友が亡くなるなんてとてもかわいそう、こんないい友を殺す戦争は許せないという気持ちになるのです。戦争と聞くと、必ずその写真の笑顔が目の前に浮かんでくることでしょう。私たちの大好きな友だちが亡くなったという感覚が大切です。ですから写真は必要なのです。

島野浦の塩谷五月さんは国民学校の犠牲となった生徒の写真を集めてくださいました。しかしそのことをお願いしながら、使用することに対してどこからか反対が出たというわけではありませんが、諸事情を考え、最後の段階で使用を断念しました。残念です。遺族の中には戦争に反対したり、平和を守る行動をする人も少なくありません。しかしながら集団慰霊祭を主催しながら、他の人がそれに関わるのを許さない人々もいるのです。彼らは

「被害者や慰霊祭はわれわれの問題」なのだから、よそ者が勝手にわが家の先祖と関係を持たないでくれと言うのです。それで写真使用とか、個人に関するものはできる限り避けました。ただし書籍やネットに出てくるような、よく知られた人物についてはその写真を使わせていただきました。

「プライベート保護」のために、機銃掃射や爆弾の爆発によってどうなったかを具体的に書けなかったことは非常に残念でした。三上謙一郎氏は『死者を追って』の中でこのことについて非常に具体的に記録しています。二度と犠牲者を出さないというのなら、機銃掃射や爆弾の爆発で身体はどうなったかをそのままに書くべきと思います。そういう現実と向き合うことを通じて、戦争というものはいかに残酷なものか、決してあってはならないものであるかを身体全体が受け止めます。今回、この点については、本書はあいまいな書き方をしなければなりませんでした。

なお、本書出版にあたっては、妻の正子や子どもたちがその度〝完成原稿〟を読みなおし、何度も訂正してくれました。本当にありがとう。おかげでとてもいいものになりました。

二〇二〇年春

著者略歴

河野　富士夫（かわの　ふじお）

大阪市立大学大学院文学研究科修士課程修了
専門分野　ドイツ文学　文化論
宮崎大学名誉教授

ドイツ文学関係（共著・共訳）
『アンナ・ゼーガースの文学世界』三修社（1982）
『アンナ・ゼーガースの文学』東洋出版（1997）
クルト・ダーヴィット『生きていたダヌータ』（翻訳）三修社（1985）
『東ドイツ短編集・エルベは流れる』同学社（1992）
アンナ・ゼーガース『グルーベチュ』（翻訳）三修社（1996）

エッセイ集
『光る風』（2005）
『星のつぶやき』（2008）
『麦わら帽子』（2010）

人間共生論（共著）
『忘れえぬ人々』（宮崎大学「特色ある大学づくり事業経費」）（2004）
『噴火湾の夕なぎ』（家族史）（1997）
『有珠岳に育まれて』（一族史）（1999）
『りすの訪れ』（父との対話）（2011）

みやざき文庫 140

宮崎の戦争と若者たち
太平洋戦争を語りつぐ4つの物語

2020年５月27日 初版印刷
2020年６月５日 初版発行

著　者　河野富士夫

発行者　川口 敦己

発行所　鉱脈社
宮崎市田代町263番地　郵便番号880-8551
電話0985-25-1758

印　刷
製　本　有限会社 鉱脈社

発掘・継承・創造 ―《いのち》をうけ継ぎ・育み・うけ渡そう ―

みやざき文庫既刊

宮崎の戦争遺跡
旧陸・海軍の飛行場跡を歩く

福田 鉄文 著

太平洋戦争で宮崎県内に築かれた陸軍と海軍の航空基地跡を歩き、かつての基地の姿や秘話を発掘。国が戦争をするとはどういうことだったのか。戦争と平和を考える労作。

本体1800円+税

新編 石の証言
「八紘一宇」の塔を考える会 編著

宮崎市街に立つ〈平和の塔〉はかつて〈八紘一宇の塔〉と呼ばれた。太平洋戦争の時代に「聖戦」のシンボルとして建設され、戦後は名称を変えて生き延びた知られざる過去に光をあてる。

本体2000円+税

私たちの町でも戦争があった
アジア太平洋戦争と日向市

福田 鉄文 著

見なれた風景の中にあの戦争の傷跡が。長年にわたる丹念な調査がこの国の過去を掘りおこし、今を問いかけ未来を指し示す。

本体2000円+税

既刊本

我が故郷に戦火燃ゆ　延岡大空襲の記録

渡木　真之　著

日中戦争から太平洋戦争期、少年時代を過ごした著者の昭和の証言。戦時下の学校生活や延岡大空襲の実態が美術教師であった著者の絵と文により、リアルに描かれる。

本体１７４８円＋税

死者を追って　記録・宮崎の空襲

三上謙一郎　著

太平洋戦争末期、戦場と化した銃後宮崎。アメリカ軍の無差別爆撃による死者を追って17年調査した記録。この書によって宮崎の空襲の実態は初めて明らかになった。

本体２５２０円＋税

ヒロシマ・ナガサキ宮崎からの証言　65年間の記録集

被爆の思いを繋ぐ会　著

宮崎県内被爆者１４５人が記録してきた全証言を、広島編と長崎編に分けて収録。そこでは何があったのか。知られざる地方被爆者の苦悩と希望が詰まった一冊。

本体４０００円＋税